D0228054

Veel personeel gewenst

Veel personeel gewenst

Honderd en één verhalen over werk

Willem de Vos

uitgeverij
SWP

Veel personeel gewenst
Honderd en één verhalen over werk
Willem de Vos

ISBN 978 90 8850 527 0
NUR 372/807

Voorwoord

Een bonte mengeling van korte verhalen over mensen en hun werk.
Over opgeblazen bazen en tegenwerkende medewerkers,
zotte sollicitanten, malle managers,
hongerloontjes en ronkende rijkdom,
ware wijzen en dolende dwazen,
over bewonderenswaardige, luie en wonderlijke snuiters,
noeste werkers en lome luiaards,
slimme ideeën en slappe smoezen,
samenwerkers en samenspanners,
geluks- en pechvogels,
creatieve creaturen en slapende slaven,
werkzoekenden en werkmijders,
toppers en tobbers.

Verhalen van alle tijden en van iedere dag.
Want verhalen doorstaan de eeuwen
en de boodschap mag u er zelf uitpellen of erin leggen.
Daar kunnen verhalen tegen.

Verwachtingen

‘Vertel me eens over de mensen in de organisatie waar je net vandaan komt’, zei de manager die kandidaten selecteerde voor een belangrijke leidinggevende rol. ‘Ze waren laagopgeleid en lui’, antwoordde de kandidaat. ‘Ik moest ze constant in de gaten houden, want als ik even niet keek, probeerden ze het bedrijf een hak te zetten of pikten ze iets mee. Ze communiceerden op een waardeloze manier, verzetten zich tegen iedere verandering en dachten eigenlijk alleen aan zichzelf.’
‘Wat jammer zeg!’, antwoordde de manager. ‘Het spijt me te moeten zeggen dat je hier dezelfde types tegenkomt. Het lijkt er niet op dat dit de baan is die bij je past.’
Zodra de tweede kandidaat zat, kreeg zij dezelfde vraag voorgelegd. ‘Oh, het waren fantastische lui’, zei ze. ‘Ook al konden de meesten niet lezen en ging de communicatie tussen ons bepaald niet vanzelf, ze waren absoluut gemotiveerd om de samenwerking te laten slagen. En vanaf het moment dat we elkaar goed hadden leren kennen, hielpen ze elkaar voortdurend en was de samenwerking prima.’
‘Mooi!’, zei de manager, ‘want dat is hetzelfde type mensen dat u hier zult aantreffen als u bij ons begonnen bent.’

Salaris

Inhoudelijke deskundigen kunnen nooit zoveel verdienen als topbestuurders. Dat wisten we al uit de praktijk, maar nu is er ook een wiskundige formule die aantoont dat dit daadwerkelijk het geval is.

Uitgangspunten:

Stelling 1: Kennis is macht
Stelling 2: Tijd is geld

Iedere exacteling weet dat:

$$\frac{\text{werk}}{\text{tijd}} = \text{kracht}$$

en omdat kennis gelijk is aan macht en tijd gelijk aan geld, volgt daaruit:

$$\frac{\text{werk}}{\text{geld}} = \text{kennis}$$

en dus:

$$\frac{\text{werk}}{\text{kennis}} = \text{geld}$$

en daaruit volgt dat als kennis naar '0' daalt, geld groeit naar oneindig, ongeacht de verrichte hoeveelheid werk.
Conclusie: hoe minder je weet, des te meer je verdient.

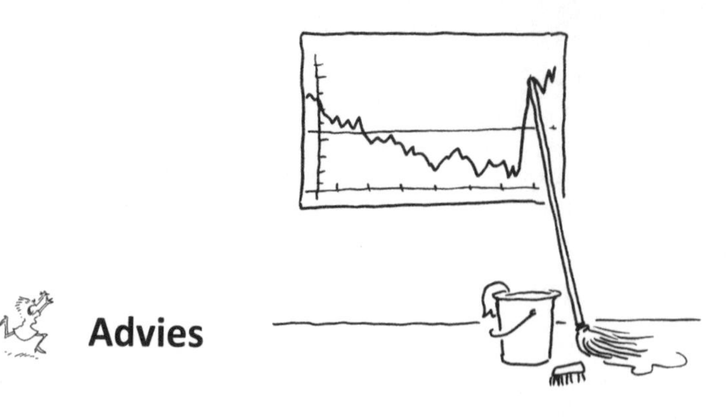

Advies

De CEO van een groot bedrijf worstelde al weken met de strategie van zijn onderneming. Hij had al advies ingewonnen bij verschillende topconsultants. Maar hij kwam er niet goed uit en dat zat hem dwars. Met zijn hoofd vol vragen en zorgen verliet hij zijn kantoor 's avonds. Hij liet zijn stukken met aantekeningen op zijn bureau liggen. Toen hij de volgende dag weer op kantoor kwam, zag hij dat iemand had zitten schrijven op zijn stukken. Eerst werd hij verschrikkelijk boos en wilde hij zijn secretaresse opdracht geven om uit te zoeken wie er in zijn kantoor was geweest. Maar toen las hij wat erbij was geschreven. En opeens begon hij te stralen. Wat die onbekende daar had opgeschreven, was briljant. Precies wat hij nodig had! Hij voelde zich kilo's lichter met deze visie op de toekomst van zijn bedrijf.
Zijn secretaresse kwam met het verrassende bericht dat er niemand anders in het pand was geweest na zijn vertrek dan een uitzendkracht die werkte voor het schoonmaakbedrijf.

Ambitie

Nasrudin was uitgenodigd voor een sollicitatiegesprek voor een baan in een supermarkt.
De personeelsmanager zei: 'Wij hebben voorkeur voor ambitieuze mensen. Wat zijn uw ambities? Wat voor werk wilt u bij ons gaan doen?'
Zonder blikken of blozen antwoordde Nasrudin: 'Ik wil graag uw baan hebben.'
Geschrokken riep de personeelsmanager uit: 'Wat zegt u nou, bent u soms niet goed bij uw hoofd?!'
Waarop Nasrudin reageerde: 'Dat zou kunnen, maar is dat een noodzakelijke voorwaarde?'

Baan gezocht

Ik werk in het Indiase restaurant van mijn familie. Het is nu een jaar open en vanaf de eerste dag ben ik in feite eindverantwoordelijk als mijn vader er niet is. En ook als hij er wel is, laat hij mij de ingewikkelde zaken opknappen. Ik ben nog maar 21, en op die leeftijd verwacht niemand dat je de manager bent, gezien de meeste reacties. Vanwege de economische situatie komen er vaak mensen solliciteren of hun cv afgeven. Dat gebeurde vanochtend ook en ik ben nog een beetje van slag. Ik was vroeg begonnen om alles voor de lunch voor te bereiden en ik was nog bezig met het schoonmaken van het buffet, toen ik de deur hoorde. 'Dat zal de eerste gast zijn', dacht ik. We zijn geen chique restaurant, maar ik keek toch op toen ik een vrouw van een eind in de dertig zag binnenkomen in een viezig groot T-shirt, een spijkerbroek en met haar haar in een slonzige paardenstaart. Ik dacht nog steeds dat ze kwam lunchen en pakte al een lunchkaart en liep vriendelijk op haar af, toen ze zei: 'Kan ik de manager spreken?' Ik vroeg: 'Kan ik u helpen, mevrouw? Is er soms iets niet in orde?' 'Nee', zei ze, 'ik wil de manager spreken en niet een of ander ingehuurd serveerstertje.' Ik was in mijn wiek geschoten, maar liet het niet merken en zei: 'Mevrouw, ik ben de manager hier. Waarmee kan ik u van dienst zijn?' Ze keek me vuil aan en zei: 'Lieg niet. Jij bent de manager niet. Daar ben je snotverdorie veel te jong voor!'
Ik moet naar haar hebben staan kijken met mijn onderkaak ongeveer op de grond, denkend wat ik nou toch tegen dat onbehouwen mens zou moeten zeggen, toen mijn vader binnenkwam. Een beter timing was niet denkbaar.
De grijns van de vrouw veranderde in een glimlach en ze vroeg beleefd: 'Bent u de manager?' Mijn vader antwoordde: 'Nee, dat is zij', terwijl hij naar mij wees. We hadden haar gezicht moeten filmen op dat moment!
'Ja mevrouw', zei ik, 'Nu vaststaat dat ik echt de manager ben, kan ik u ergens mee helpen?' Ze keek me ineens aan met een suikerzoete glimlach en vroeg: 'Ik ben op zoek naar een baan, hebt u misschien werk voor mij?'
Ik moest me inspannen om niet in lachen of schreeuwen uit te barsten en zei beheerst: 'Sorry mevrouw, maar dit ingehuurde serveerstertje denkt niet dat u in ons bedrijf past. Ik wil u vriendelijk verzoeken om te vertrekken. Want of u nu zo doet tegen een manager of een serveerster, dat maakt bij ons niet uit!'

Tevreden

Een klein ventje liep een winkel binnen, pakte een lege krat en schoof hem onder de publieke telefoon. Hij klom op de krat zodat hij bij de telefoon kon en toetste een nummer in. De winkelier observeerde hem en hoorde het gesprek.
Het jongetje: 'Mevrouw, kan ik misschien uw heg voor u knippen?'
De dame aan de andere kant van de lijn: 'Ik heb al iemand die mijn heg knipt.'
Het jongetje: 'Ik doe het voor de helft van de prijs van degene die uw heg nu knipt.'
De dame: 'Maar ik ben zeer tevreden over degene die mijn heg nu knipt!'
Het jongetje: 'Maar mevrouw, ik wil ook uw stoep en uw oprijlaan vegen, zodat u zondag de mooiste laan hebt van heel de buurt.'
De dame: 'Nee, dank je.'
Met een glimlach op zijn gezicht hangt het jongetje de hoorn op de haak.
De winkelier die alles gehoord heeft, loopt op hem af en zegt: 'Jouw houding bevalt me wel, vooral jouw positieve instelling, ik bied je een baantje aan.'
Het jongetje: 'Nee, dank u meneer.'
'Maar net was je aan het soebatten voor een baantje?!'
'Nee meneer, ik was de tevredenheid aan het controleren van mijn huidige werkgever. Ik ben namelijk degene die de heg knipt van de mevrouw die ik belde.'

Noppes

Op een dag stuurde René de volgende brief naar zijn baas om een salarisverhoging te krijgen:

G€acht€ ch€f,
In dit l€v€n h€bb€n w€ all€maal voldo€nd€ g€ld nodig.
Loon naar w€rk€n is b€langrijk.
€n omdat d€ €conomi€ w€€r aantr€kt, stuur ik d€z€ bri€f in d€ v€rond€rst€lling dat u d€ aard mijn v€rzo€k w€l kunt rad€n.
M€t vri€nd€lijk€ gro€t,
R€n€ Knopp€rs

De volgende dag ontving hij het volgende antwoord.

Beste ReNÉE kNOPpers,
Hoewel ik begrijp dat ook jij wilt geNIETen van het leven, ben ik van mening dat je je verzoek nogal onbeNULlig hebt geformuleerd; vooral het ontbreken van argumenten komt NIETSzeggend over.
Bovendien zijn economen het oNEEns zijn over de vraag of de economische opleving blijvend of tijdelijk van aard is. Het is maar de vraag of de crisis in zijn NADAgen is.
Dat betekent dat ik er NIET onderuit kan om je verzoek af te wijzen, ook al is dat misschien om te gRIENen.
Met vriendelijke groet,
NIK Stroomberg

Te laat

Dertig jaar lang was Jansen stipt om 09.00 uur op zijn werk verschenen. Nooit te laat. Hij had ook nooit een dag gemist. Vandaar dat de hele zaak in rep en roer was toen hij er op een dag niet was om 09.00 uur. Sensatie! Iedereen aarzelde om aan de slag te gaan en de chef kwam zijn kantoor uit, kijkend op zijn horloge en mopperend.
Pas om 10.00 uur kwam Jansen aanzetten. Zijn haar in de war, zijn kleren vies. Er zaten schrammen op zijn gezicht en zijn bril stond scheef. Hij hinkte met een van pijn vertrokken gezicht naar de klok, stak zijn kaart erin en zei toen hij zag dat alle ogen op hem gericht waren: 'Ik ben gestruikeld en twee trappen naar beneden gerold in de metro. Ik was er bijna geweest!'
Waarop zijn baas zei: 'Zo, en twee trappen naar beneden rollen, daar heb je een heel uur over gedaan?'

Bruggenbouwer

'U hebt een mooi beroep', zei het kind tegen de oude bruggenbouwer. 'Het moet wel zwaar zijn om bruggen te bouwen.' 'Als je het vak eenmaal geleerd hebt, is het niet lastig meer', zei de bruggenbouwer. 'Bruggen van beton en staal bouwen is makkelijk, maar andere bruggen, die ik in mijn dromen bouw, die zijn veel moeilijker.'
'Welke andere bruggen?', vroeg het kind. De oude bruggenbouwer keek het kind nadenkend aan. Hij wist niet of het kind het zou begrijpen. Toen zei hij: 'Ik wil een brug bouwen van nu naar de toekomst. Ik wil een brug bouwen van de ene naar de andere mens, van het donker naar het licht, van verdriet naar vreugde. Ik wil een brug bouwen van nu naar de eeuwigheid over al het vergankelijke heen.'
Het kind had goed geluisterd. Het had niet alles begrepen, maar merkte dat de oude man verdrietig was. Om hem weer op te vrolijken zei het kind: 'Ik geef u mijn brug!' En het kind schilderde voor de bruggenbouwer een kleurrijke regenboog.

Agenda

Er was een man die een agenda had waarin hij al zijn afspraken noteerde. Maar in zijn agenda stonden op elke bladzijde alleen de weken aangegeven en omdat het de man voor de wind ging, had hij daar niet genoeg aan. Daarom kocht hij een agenda waarin op elke bladzijde een dag stond. Zo kon hij nog meer afspraken maken en het ging de man steeds beter. Toen overlegde hij bij zichzelf en zei: 'Laat ik nu een agenda kopen waarin niet alleen de weken en de dagen, maar ook de uren een aparte bladzijde hebben. Dan kan ik mijn tijd nog beter besteden.' Toen sprak de Dood tot de man en zei: 'Jij, dwaas, morgen om acht uur sta je in mijn agenda.'

Botte bijl

Een groep houthakkers heeft de taak om elke dag een aantal vierkante meters bos om te kappen en te zagen. Het hoofdkantoor houdt de productiecijfers nauwlettend in de gaten. Vanaf een bepaalde dag blijkt dat de productie terugloopt. Op een gegeven moment wordt het zo zorgelijk dat een directielid afreist naar het bosgebied om met de houthakkers te praten. Hij wil weten of ze wel doorhebben dat ze hun productie niet meer halen en hoe dat toch komt.
Het blijkt te komen doordat de zagen en de bijlen bot zijn geworden. Daardoor kost het veel meer tijd om een boom om te krijgen.
De directeur zegt: 'Dan breng je ze toch naar de smid om ze te laten slijpen?!' De houthakkers antwoorden bloedserieus: 'Nee, dat kan niet, want dan halen we onze productie niet.'

Rust

Iemand die in zijn leven veel gemediteerd had, werd eens gevraagd waarom hij ondanks zijn drukke werkzaamheden toch steeds zo rustig en beheerst kon zijn. Hij antwoordde: 'Als ik sta, dan sta ik. Als ik ga, dan ga ik. Als ik zit, dan zit ik. Als ik eet, dan eet ik. Als ik spreek, dan spreek ik.'

Toen vielen de vragenstellers hem in de rede en zeiden: 'Dat doen wij toch ook. Maar wat doe jij dan anders?' Hij zei opnieuw: 'Als ik sta, dan sta ik. Als ik ga, dan ga ik. Als ik zit, dan zit ik. Als ik eet, dan eet ik. Als ik spreek, dan spreek ik.' Opnieuw zeiden de anderen: 'Dat doen wij toch ook!' Hij zei echter tegen hen: 'Nee! Als jullie zitten, dan staan jullie al. Als jullie staan, dan gaan jullie al. Als jullie gaan, dan zijn jullie al op je bestemming.'

Spijt

Een ezel, die toebehoorde aan een kruidenverkoper die hem te weinig eten gaf en te hard liet werken, bad tot Jupiter om bevrijd te worden van zijn huidige baas en een nieuwe meester te krijgen. Jupiter waarschuwde hem dat hij spijt zou krijgen van zijn verzoek, maar zorgde ervoor dat hij verkocht werd aan een stenenbakker. Kort daarna, toen de ezel merkte dat hij nog zwaardere lasten moest dragen en harder moest werken op de steenfabriek, bad hij nogmaals om een nieuwe meester. Jupiter die hem waarschuwde dat dit de laatste keer was dat hij het verzoek kon inwilligen, zorgde ervoor dat hij verkocht werd aan een leerlooier. Opnieuw ervoer de ezel dat hij nog slechter terechtgekomen was. Toen hij zag waar zijn meester zich mee bezighield, zei hij kreunend: 'Ik had beter kunnen sterven van de honger bij mijn eerste meester of van het zware werken bij de tweede, want de meester die me nu gekocht heeft, zal na mijn dood mijn huid bewerken zodat ik dan nog nuttig voor hem ben.'

Afscheidsgeschenk

Een oude timmerman was aan zijn pensioen toe. Hij stelde zijn werkgever op de hoogte van zijn voornemen om de bouw te verlaten, om met zijn vrouw van zijn vrije tijd en van zijn uitdijende familie te genieten. Hij zou zijn loon missen, maar het was tijd om zich terug te trekken. Ze zouden het vast wel redden.
Het speet de werkgever dat hij zo'n goede kracht zou gaan verliezen en hij vroeg hem of hij nog één huis wilde bouwen om hem een plezier te doen. De timmerman zei ja, maar al gauw was te zien dat hij er met zijn hart niet bij was. Hij leverde maar matig werk, gebruikte mindere materialen en aan de afwerking besteedde hij minder aandacht dan hij gewend was. Hij vond het zelf een waardeloze manier om zijn loopbaan af te sluiten, maar kon het gewoon niet meer opbrengen. Toen de timmerman klaar was en de aannemer kwam om het resultaat te inspecteren, overhandigde hij de sleutel van de voordeur aan de timmerman. 'Alsjeblieft, dit huis is voor jou', zei hij. 'Mijn afscheidsgeschenk.'

Rijk

Een rijke fabriekseigenaar zag tot zijn afschuw een visser lui naast zijn boot liggen en een pijp roken. 'Waarom ben je niet aan het vissen?' vroeg de fabriekseigenaar. 'Omdat ik genoeg vis heb gevangen voor vandaag', zei de visser. 'Waarom vang je er niet nog een paar?' 'Wat zou ik ermee moeten?' 'Je zou geld kunnen verdienen', luidde het antwoord. 'Daarmee zou je een motor op je boot kunnen laten monteren om verder de zee op te gaan en meer vis te vangen. Dan zou je genoeg verdienen om nylonnetten te kopen. Die zouden je meer vis en meer geld opleveren. Al gauw zou je genoeg geld hebben om twee boten te bezitten en misschien wel een hele vloot. Dan zou je een rijk man zijn, net als ik.' 'Wat zou ik dan doen?' 'Dan zou je werkelijk van het leven kunnen genieten.' 'En wat denk je dat ik nu aan het doen ben?' antwoordde de visser.

Diploma

Een jonge man nam het kosterschap van het Anglicaanse kerkje in Milford over van zijn vader, die het weer had overgenomen van zijn vader. Alleen kon de jongeman niet lezen en schrijven, maar dat maakte hem geen minder goede koster.
Toen kwam er een nieuwe dominee. Toen hij hoorde dat zijn koster analfabeet was, riep hij hem bij zich en ontsloeg hem, want het zou een schande zijn voor de kerk.
Helemaal in de war ging de koster lopend naar huis, maar onderweg verdwaalde hij. Hij zocht zijn sigaren, maar had ze niet bij zich. Toen hij een sigarenzaak zocht, kon hij er geen vinden. Prompt ging hij op zoek naar een geschikt winkelpandje en opende een sigarenzaak. Binnen enkele maanden liep die als een trein en kon hij er een zaakwaarnemer in zetten. Hij ging op zoek naar andere plekken waar nog een gat in de markt was. Na een aantal jaren was hij directeur van een grote winkelketen met overal vestigingen. Van zijn analfabetisme had hij geen last, want betrouwbare mensen regelden alles wat met lezen en schrijven te maken had.
Toen werd hij uitgenodigd voor een televisie-interview over zijn leven en zijn ondernemingen. Als laatste stelde de presentator de vraag: 'Ik heb gehoord dat u analfabeet bent en u hebt het toch zo ver geschopt, wat zou u geweest zijn als u wel had kunnen lezen en schrijven?'
Met een glimlach zei de man: 'Koster van het kerkje van Milford.'

Onverkoopbaar

Jaren geleden ging een man aan het werk in een warenhuis. Het viel hem op dat er zoveel spullen lang bleven staan die veel ruimte in beslag namen maar nauwelijks verkocht werden. Hij vroeg de eigenaar toestemming om al die spullen op een tafel te zetten en te verkopen voor tien cent per stuk. Zijn baas vond het goed en hij was in een mum van tijd de meeste spullen kwijt. Een paar weken later deed hij dat nog een keer, en weer met groot succes. De onverkoopbare koopjes gingen als warme broodjes over de toonbank.
Toen stelde hij zijn baas voor een speciale zaak te openen om spullen te verkopen voor vijf of tien cent. Maar de baas zag het niet zitten en weigerde toestemming te geven. De man nam ontslag en begon voor zichzelf. Binnen een paar jaar was hij een succesvol zakenman en stond hij aan het hoofd van een enorme winkelketen.
Zijn vroegere baas zei later: 'Ik heb uitgerekend dat ieder woord dat ik gebruikt heb om zijn idee de grond in te boren, me een miljoen dollar gekost heeft.'

Geheim

Een directeur stak voortdurend de loftrompet over zijn secretaresse. Ze was uiterst efficiënt en voorkomend, vriendelijk en zorgvuldig. Een vriend van hem hoorde dat een paar keer aan en wilde er het zijne van weten. Toen hij op een dag op het kantoor van de directeur was, vroeg hij aan de secretaresse: 'Jouw baas geeft altijd hoog van je op. Je bent voor hem de meest efficiënte, vriendelijke en zorgvuldige secretaresse die er is. Wat is jouw geheim?'
'Dat is niet mijn geheim', antwoordde de secretaresse, 'het is zijn geheim!'
'Hoezo?' vroeg de man verbaasd. Haar antwoord was: 'Altijd als ik iets voor hem gedaan heb, laat hij merken dat hij het gezien heeft en het op prijs stelt. Zelfs bij de kleinste details. Dat zorgt ervoor dat ik als vanzelf alles geef om mijn werk goed te doen.'

Niets te doen

Na zijn pensioen stuurde een Duitse ambtenaar een brief naar meer dan vijfhonderd collega's. Daarin zette hij uiteen dat hij de laatste veertien jaar van zijn actieve loopbaan eigenlijk niets te doen had gehad. Maar wel bij elkaar zo'n € 745.000 op zijn rekening had ontvangen.
De boodschap van zijn brief was dat het systeem de schuld had van alles. Het systeem van personeelsinzet maakte het mogelijk mensen in te huren om exact hetzelfde te doen wat het vaste personeel geacht werd te doen. En dat was natuurlijk een grote schande. De middelen van de overheid waren toch al zo schaars. Hoe kon het zijn dat een hoog gekwalificeerde kracht als hij hoegenaamd geen werk had. Terwijl er wel allerlei ingehuurde jonkies rondliepen die de interessante projecten uitvoerden. Hij eindigde zijn brief met de zure opmerking dat hij wel begreep waarom mensen zo weinig vertrouwen hebben in de overheid...

Verlangen

Vader was een hardwerkende man die elke dag brood bezorgde om zijn vrouw en drie kinderen te kunnen onderhouden. Iedere avond zat hij op school om zijn kansen op werk dat beter betaalde te vergroten. Alleen op zondag at hij samen met zijn gezin. De andere dagen werkte of studeerde hij.
En als zijn gezin klaagde over zijn afwezigheid, zei hij dat hij het allemaal voor hen deed. Hij verlangde de wel vaak naar meer tijd voor zijn gezin.
Op een dag deed hij zijn examen en slaagde met vlag en wimpel. Niet lang daarna kreeg hij een baan als hoofdopzichter. Hij ging een stuk meer verdienen.
Een droom werd werkelijkheid, want nu kon hij zijn gezin af en toe trakteren op luxe dingen. Mooie kleren, goed eten en vakantie in het buitenland.
Maar nog steeds zag zijn gezin hem weinig. Hij werkte nog steeds keihard, hopend op een functie als manager. Daarom schreef hij zich ook in voor een studie aan de Open Universiteit.

En ook nu, als zijn gezin mopperde dat ze hem zo weinig zagen, antwoordde hij dat hij het allemaal voor hen deed. Maar hij bleef verlangen naar meer tijd met zijn gezin.
Zijn harde werken werd beloond. Hij werd manager. Dolgelukkig besloot hij een huishoudelijke hulp in te huren om zijn vrouw te ontlasten van het huishouden. Eigenlijk wilde hij zijn gezin laten verhuizen van hun driekamerflat naar een landgoed. Maar daarvoor moest hij nog een keer promotie maken en hij maakte daarvoor lange werkweken. Nog steeds zag hij zijn gezin nauwelijks. Nu moest hij zelfs af en toe op zondag werken om klanten te ontvangen. Maar ook nu, als zijn gezin klaagde over zijn afwezigheid, zei hij dat hij het voor hen deed. Steeds vaker verlangde hij naar meer tijd samen met zijn gezin.
Zijn harde werken werd opnieuw beloond, en flink ook. Nu was hij in staat om een landgoed te kopen voor zijn gezin. Met uitzicht op zee!
Op de eerste zondag in het nieuwe landhuis verklaarde vader plechtig dat hij niet meer verder zou studeren en ook geen promotie meer zou najagen. Het was genoeg geweest, vanaf nu zou hij veel meer tijd aan zijn gezin gaan besteden. Tevreden ging iedereen naar bed.
De volgende dag werd vader niet meer wakker...

Onzin

Twee vrienden gingen samen op pad naar de stad om werk te zoeken. Ze klopten aan bij een rijke handelaar om werk. De handelaar gaf hun een rieten mand en droeg hen op om tot aan het invallen van de schemering water te putten uit de bron in zijn achtertuin.
De een dacht: wat een onzin, dat ga ik echt niet doen. Ik ga me daar een beetje water putten met een mandje dat 'zo lek als een mandje' is. Hij zocht een rustig plekje op en deed zijn ogen dicht.
De ander ging vol goede moed aan de slag en vulde de ene mand na de andere. Na een paar uur hard werken haalde hij zijn mandje weer naar boven en ontdekte dat er een paar goudstukken in lagen. Hij bracht ze naar de handelaar en kreeg een beloning voor zijn vondst. Bovendien bood de man hem een baan aan.

Harrie

Harrie, een medewerker van de afdeling logistiek, is aan het opscheppen tegen zijn baas. 'Weet je, chef, door mijn logistieke werk ken ik ongeveer iedereen die je kunt kennen. Noem iemand, kan niet schelen wie en ik ken hem of haar!' Zijn baas is dat gepoch een beetje zat en zegt verveeld: 'Oké Harrie, je kent dus George Clooney?!' 'Absoluut!' zei Harrie, 'George en ik zijn al heel lang vrienden, ik zal het je laten zien.' Harrie en zijn baas nemen een vlucht naar Hollywood en kloppen op de deur van George Clooney. Die doet open en roept: 'Hé Harrie, leuk je te zien. Kom binnen met je vriend, dan lunchen we samen!' Op de terugweg is Harrie's baas weliswaar onder de indruk, maar ook sceptisch, want het zal wel een toevalstreffer zijn.
'Nee, nee', zegt Harrie, 'noem dan nog maar een naam. Zijn baas zet hoog in: 'President Obama.' Ze gaan op weg naar het Witte Huis. Zodra Obama Harrie in het oog krijgt, duwt hij zijn beveiligers aan de kant, loopt op Harrie af en omhelst hem. 'Harrie, wat een verrassing. Ik was onderweg naar een bijeenkomst, maar kom binnen met je vriend voor een kop koffie!'
Nu is zijn baas toch echt onder de indruk, maar nog niet honderd procent overtuigd. 'Oké, noem nog een naam', zegt Harrie. 'De paus', antwoordt zijn baas. 'Geen punt', zegt Harrie, de paus en ik kennen elkaar al jaren.' Dus vliegen ze naar Rome. Ze staan samen op het Sint Pietersplein te midden van de massa. 'Dit gaat niet werken', moppert Harrie, 'zo krijg ik geen contact met mijn vriend. Weet je wat! Jij blijft hier, ik ga naar het balkon, ik ken toch al die lui van de Zwitserse Garde.' Een halfuur later verschijnt Harrie naast de paus op het balkon en samen zwaaien ze naar de juichende menigte. Als Harrie weer terug is, ligt zijn baas op de grond, omringd door ambulancepersoneel. 'Wat is er gebeurd?' vraagt Harrie geschrokken. 'Het ging allemaal goed, totdat jij op het balkon verscheen met de paus en de man naast mij vroeg: 'Wie staat er op het balkon, naast Harrie?'

Verloren tijd

Aan: alle medewerkers
Van: administratie

Het is ons opgevallen dat steeds meer collega's bij het verantwoorden van hun uren gebruikmaken van code 5309: verzamelbox improductieve tijd. Omdat wij exact willen weten wat jullie doen in die improductieve uren, gelieve vanaf nu gebruik te maken van onderstaande lijst. We hebben de lijst samengesteld op grond van onze eigen waarnemingen. Mochten er onduidelijkheden zijn, dan horen we dat graag.

Dank voor de medewerking!
De administratie.

Uitgebreide codelijst improductieve uren
5316 Zinloze vergaderingen
5317 Dwarszitten van de voortgang tijdens vergaderingen
5318 Proberen wijs te doen tijdens onvoorbereid overleg
5319 Wachten op de pauze
5320 Wachten op de lunch
5321 Wachten op het einde van de werkdag
5322 Verbale aanvallen op collega's
5323 Verbale aanvallen op afwezige collega's
5400 Concept proberen uit te leggen aan collega die niet wil luisteren
5401 Concept proberen uit te leggen aan incompetente collega
5481 Snack kopen
5482 Snack opeten
5500 Uurstaat invullen
5501 Uurstaat omzeilen
5502 Wachten tot er iets gebeurt
5503 Jezelf krabben
5504 Dommelen
5510 Je vervelen
5600 Klagen over je werk
5601 Klagen over salaris
5602 Klagen over werktijden

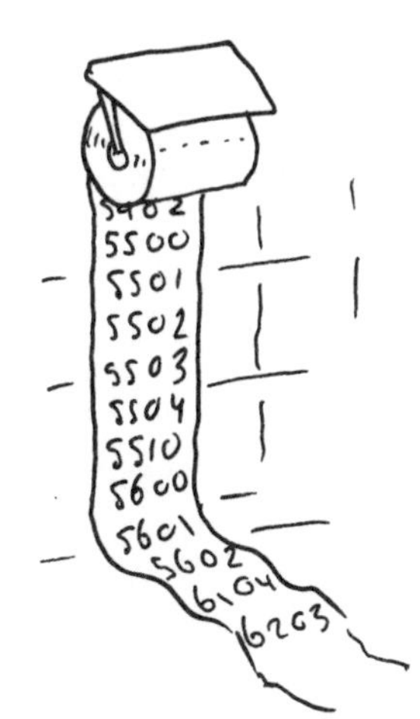

6104 After-lunchdip
6203 Privé bellen op het werk
6211 Cv bijwerken
6212 Cv versturen naar andere werkgever of headhunter
6221 Doen alsof je werkt
6222 Doen alsof je je werk leuk vindt
6603 Een boek schrijven onder werktijd
6611 Voor je uit staren
7281 Lang toiletbezoek (> 10 minuten)
7400 Telefoneren naar echtscheidingsadvocaat
7401 Telefoneren naar loodgieter
7402 Telefoneren naar tandarts/huisarts
7404 Telefoneren naar masseuse
7419 Telefoneren naar overige vakmensen
7425 Telefoneren met maîtresse/vriendje
8100 E-mail lezen

Iemand

Ze waren met zijn drieën, Iedereen, Iemand en Niemand.
Op een dag moest er een belangrijke opdracht worden vervuld.
Iedereen dacht dat Iemand het wel zou doen.
En hoewel Iedereen het kon, deed Niemand het.
Hierdoor werd Iedereen boos.
Want het was de taak van Iedereen en nu had Niemand het gedaan.
Iedereen dacht dat Iemand het had kunnen doen, maar Niemand had zich gerealiseerd dat niet Iedereen het wilde doen.
Aan het einde beschuldigde Iedereen Iemand omdat Niemand deed wat Iedereen had kunnen doen.

Imkers

Er waren twee imkers die elk een grote populatie bijen hielden. Ze werkten voor hetzelfde bedrijf: ERBIJ bv. De klanten van het bedrijf waren gek op de honing en de vraag steeg voortdurend. Daarom stelde het bestuur van ERBIJ bv voor beide imkers een hoger productiedoel vast. De imkers hadden totaal verschillende ideeën over hoe de productie te verhogen.

De eerste nam een prijzig systeem in gebruik dat in kaart bracht hoeveel bloemen elke bij bezocht. De bijen kregen regelmatig informatie uit het systeem over het aantal afgelegde bezoeken. De imker reikte speciale prijzen uit voor de bijen die de meeste bezoeken afgelegd hadden. Maar de bijen kregen nooit iets te horen over het feit dat er meer honing moest worden geproduceerd omdat de vraag toegenomen was.

De tweede nam ook een managementinformatiesysteem in gebruik, maar dit systeem liet iedere bij weten welke bijdrage hij geleverd had aan de verhoging van de productie. De imker bracht twee dingen in kaart: de hoeveelheid nectar die de bijen binnenbrachten en de hoeveelheid daaruit geproduceerde honing. Op posters in de bijenkorf was wekelijks te zien wat de prestaties waren. De imker deelde prijzen uit aan de bijen die de meeste nectar binnenbrachten. Tegelijkertijd voerde hij een beloningssysteem in waardoor alle bijen profiteerden van de groei van de productie en de verkoop.

Aan het eind van het seizoen evalueerden de beide imkers hun aanpak. De eerste ontdekte dat het aantal bezochte bloemen inderdaad was gestegen, maar de hoeveelheid geproduceerde honing daarentegen was gedaald! De bijenkoningin liet weten dat de bijen, om maar veel bloemen te kunnen bezoeken, steeds minder nectar meenamen, zodat ze sneller konden vliegen. Bovendien, omdat alleen de topbijen beloond werden, ging er veel energie zitten in de onderlinge competitie. Daarom deelden ze geen informatie die andere bijen zou kunnen helpen om beter te presteren. En iedere keer als de imker beloningen uitdeelde aan de bijen die goed hadden gepresteerd, hoorde hij op de achtergrond nijdig gezoem.

Toen hij de evaluatie met zijn bijen doornam, zei een van de topbijen: als ik had geweten wat het echte doel was, had ik het heel anders aangepakt!

De tweede imker had hele andere resultaten behaald. Omdat iedere bij van zijn bijenkorf gericht was op het hogere productiedoel, staken zij allemaal hun energie in het verzamelen van zo veel mogelijk nectar om meer honing te kunnen produceren. De bijen werkten samen om de velden met bloemen met de meeste nectar te vinden en om de

snelste manier te vinden om de nectar in de bijenkorf te krijgen. Ze boden hun hulp aan de bijen aan die niet zoveel binnenbrachten om ook hun prestaties omhoog te krijgen. De bijenkoningin rapporteerde dat de slecht presterende bijen ofwel hun prestaties opkrikten, ofwel zich aansloten bij de korf van imker 1.
En omdat de bijenkorf ruimschoots zijn doelen had gehaald, profiteerden alle bijen van de winstdeling. Tot zijn verbazing hoorde hij instemmend gezoem toen hij de toppresteerders een individuele extra beloning gaf.

Kannibalen

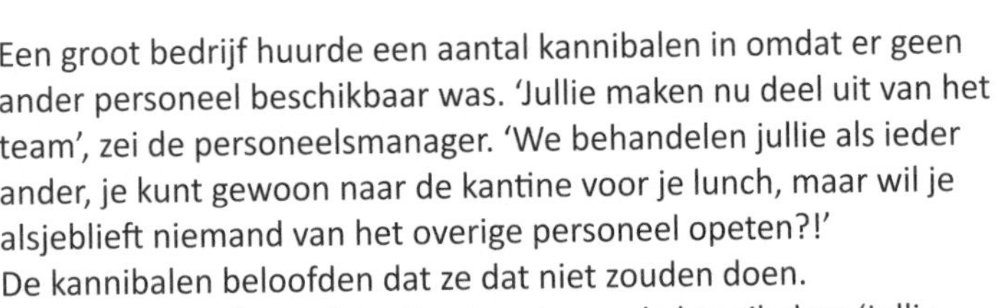

Een groot bedrijf huurde een aantal kannibalen in omdat er geen ander personeel beschikbaar was. ‘Jullie maken nu deel uit van het team’, zei de personeelsmanager. ‘We behandelen jullie als ieder ander, je kunt gewoon naar de kantine voor je lunch, maar wil je alsjeblieft niemand van het overige personeel opeten?!’
De kannibalen beloofden dat ze dat niet zouden doen.
Na een paar weken zei de directeur tegen de kannibalen: ‘Jullie werken erg hard en ik ben tevreden over jullie. Maar, een van onze secretaresses is verdwenen. Weet iemand van jullie wat er met haar is gebeurd?’
Niemand wist er iets van.
Toen de directeur weg was, zei de oudste van de kannibalen boos tegen zijn collega’s: ‘Voor de draad ermee, welke idioot heeft die secretaresse opgegeten?’
Iemand stak aarzelend zijn hand op.
‘Stommeling!’, zei hij. ‘Wekenlang hebben we managers opgegeten zonder dat iemand het merkte, maar waarom moest jij nou zo nodig een belangrijk iemand opeten...?’

Kiezen

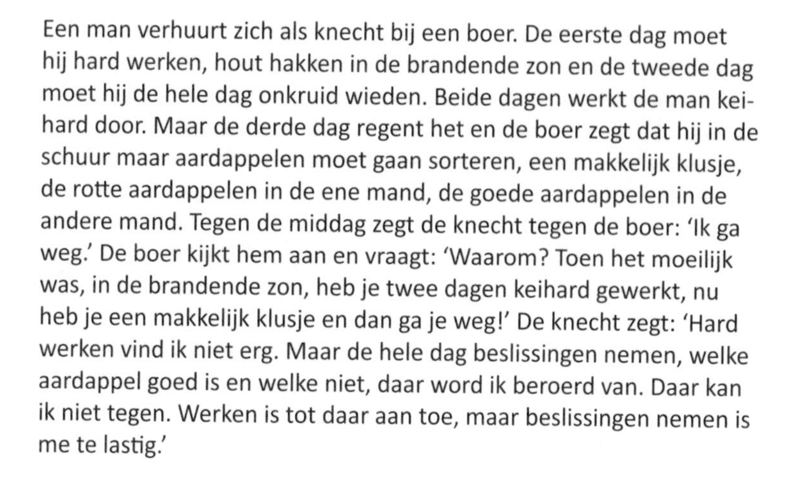

Een man verhuurt zich als knecht bij een boer. De eerste dag moet hij hard werken, hout hakken in de brandende zon en de tweede dag moet hij de hele dag onkruid wieden. Beide dagen werkt de man keihard door. Maar de derde dag regent het en de boer zegt dat hij in de schuur maar aardappelen moet gaan sorteren, een makkelijk klusje, de rotte aardappelen in de ene mand, de goede aardappelen in de andere mand. Tegen de middag zegt de knecht tegen de boer: 'Ik ga weg.' De boer kijkt hem aan en vraagt: 'Waarom? Toen het moeilijk was, in de brandende zon, heb je twee dagen keihard gewerkt, nu heb je een makkelijk klusje en dan ga je weg!' De knecht zegt: 'Hard werken vind ik niet erg. Maar de hele dag beslissingen nemen, welke aardappel goed is en welke niet, daar word ik beroerd van. Daar kan ik niet tegen. Werken is tot daar aan toe, maar beslissingen nemen is me te lastig.'

Kopie

Een jonge administratief medewerkster stond op het punt om laat in de avond het kantoor te verlaten, toen zij de CEO voor de papiervernietiger zag staan met een vel papier in zijn hand.
'Luister', zei de CEO, 'dit is een gevoelig en belangrijk document en mijn secretaresse is er vanavond niet. Weet jij hoe dit ding werkt?'
'Natuurlijk', zei de medewerkster. Ze zette het apparaat aan, stak het vel papier in de opening en drukte op de startknop.
'Perfect, perfect!' zei de CEO, terwijl zijn document in het apparaat verdween. 'Ik heb maar één kopie nodig.'

Lift

Het was het idee van een van de portiers.
Het beroemde El Cortez Hotel in San Diego leverde een prachtig voorbeeld van de noodzaak om goed te luisteren naar medewerkers op alle niveaus. De directie had het plan opgevat om een extra lift te laten plaatsen om de gasten nog beter van dienst te kunnen zijn. Volgens het plan van de aannemer moesten er grote gaten gezaagd worden in alle vloeren van het hotel. De portier hoorde van het plan en schrok toen hij bedacht wat een overlast en rommel dat zou veroorzaken. Maar hij hoefde zich geen zorgen te maken, want het hotel zou tijdens de verbouwing gesloten zijn. Toen suggereerde de portier: 'Waarom bouwen we die lift niet aan de buitenkant van het hotel?' Dat concept, vandaag de dag heel gangbaar, was nooit eerder uitgevoerd. Maar na enig denkwerk van de tekenaars bleek het de moeite waard te zijn om het uit te proberen. De ingeving van de portier bespaarde het hotel duizenden dollars aan gederfde inkomsten en schoonmaakkosten.

Logistiek

Een oude, traditionele brouwerij besloot om een nieuwe lijn in gebruik te nemen om bier in blikjes te doen, zodat zij hun producten ook via de supermarkt konden verkopen. Voor het kleine bedrijf was dit een grote verandering en de notabelen van het dorp en de oud-medewerkers werden uitgenodigd om getuige te zijn van de ingebruikneming van de lijn en daarna een borrel te drinken.
Nadat de lijn met succes in gebruik genomen was en het formele deel achter de rug was, stonden de gasten ontspannen in kleine groepjes te kletsen en te genieten van het buffet. In een rustig hoekje stonden drie mannen te praten over trucks, transport en distributie. De een was de huidige logistiek medewerker en de andere twee hadden die functie vroeger bekleed, maar waren jaren geleden met pensioen gegaan. Die drie mannen vertegenwoordigden dus drie generaties logistiek van het bedrijf, over een periode van meer dan zestig jaar.
De huidige medewerker klaagde dat zijn baan steeds stressvoller werd omdat het bedrijf erop stond dat verre leveringen op maandag en dinsdag moesten plaatsvinden, korte leveringen op vrijdag en de rest op de tussenliggende dagen. 'Het is zo ingewikkeld om dat efficient te plannen, ik weet echt niet hoe dat moet met die nieuwe blikjes en de strenge eisen van de supermarkten.'
De twee mannen knikten begrijpend. 'Dat was in mijn tijd precies hetzelfde', zei zijn voorganger begripvol. 'Ik heb het altijd al vreemd gevonden dat trucks die op maandag en dinsdag leeg terugkwamen, niet konden worden ingezet voor leveringen in de buurt omdat die moesten wachten tot de vrijdag.'
De derde man knikte eveneens terwijl hij hard nadacht en zijn best deed om erachter te komen wat er ook al weer achter dit beleid zat in de tijd dat hij een jonkie was in het vak. Na een poosje klaarde zijn gezicht op en zei hij: 'Ik denk dat ik het weet, het had te maken met de paarden. Tijdens de Tweede Wereldoorlog was de benzine op de bon, dus sloegen we de trucks op en zetten we de paarden weer in. Op maandag waren de paarden goed uitgerust na het weekend, vandaar de verre leveringen. Op vrijdag waren de paarden zo moe, dat ze alleen nog korte afstanden aan konden.'
Kort na de opening van de nieuwe lijn veranderde het bedrijf zijn afleveringsbeleid.

Principe

Iemand vroeg aan de rabbijn: 'Rabbi, u bent toch een man van God? Hoe komt het dan dat u het altijd over zaken en handel hebt, terwijl ik, een zakenman, altijd over spirituele zaken praat als ik niet aan het werk ben?!'
'Je hebt zojuist een basisprincipe van de menselijke natuur ontdekt', antwoordde de rabbi.
'Welk principe is dat dan, rabbi?'
'Mensen houden ervan om te discussiëren over zaken waar ze niets vanaf weten.'

Lucifers

Een medewerker van de Britse luciferfabrikant Swan Vesta klopte aan bij het management van het bedrijf. Hij had bedacht hoe het bedrijf miljoenen aan productiekosten zou kunnen besparen. Hij was bereid het idee over te dragen, mits hij bij gebleken succes een deel van de besparing zou krijgen.
Het management liet een advocaat een overeenkomst opstellen die inhield dat de man een deel zou ontvangen als er inderdaad miljoenen werden bespaard.
Zijn idee was even simpel als briljant: bevestig slechts aan één kant van het doosje een strookje schuurpapier in plaats van aan beide kanten.
Het management besloot het idee toe te passen en de besparingen liepen in de miljoenen. De man ontving zijn deel.

Lunch

Een bankwerker opende op maandag om twaalf uur in de kantine zijn broodtrommel, zag een boterham met worst en at hem met smaak op. Op dinsdag om twaalf uur opende hij opnieuw zijn broodtrommel, zag met lichte ergernis opnieuw een boterham met worst, maar at hem toch op. Op woensdag herhaalde het tafereel zich om twaalf uur. Hij mopperde hardop: 'Alweer worst? Dat is verdorie al de derde keer deze week.' Met tegenzin at hij zijn brood op. Op donderdag om twaalf uur was de maat vol: 'Weer worst op mijn brood. Hoezo afwisseling? Als dat morgen weer zo is, bega ik een ongeluk!' Hij at zijn brood half op en mikte de rest boos in de prullenbak. Op vrijdag om twaalf uur was hij buiten zinnen. 'Worst, worst, worst!' schreeuwde hij woest, 'alweer worst, wat is dat nou voor onzin?!' En hij gooide de hele inhoud van zijn trommeltje rechtstreeks in de bak.
Voorzichtig zei een college: 'Zou je niet eens met je vrouw gaan praten of ze niet iets anders voor je kan klaarmaken?'
Zijn nijdige antwoord was: 'Houd mijn vrouw erbuiten, ja! Ik maak toch zeker mijn eigen lunch klaar?!'

Uitbesteed

Een ICT-ontwikkelaar in de VS liet ongemerkt zijn werk uitvoeren in China. Serieus! Van zijn ruime salaris betaalde hij $ 25.000 per jaar aan een Chinees IT-bedrijf om zijn werk door Chinese IT'ers te laten doen. Vervolgens kwam hij elke dag gewoon op zijn werk, struinde het internet af om wat te doen, hield zijn Facebookpagina bij en keek filmpjes op YouTube. Toen hij na jaren eindelijk betrapt werd, bleek tijdens de rechtszaak waarin zijn ontslag werd geëist dat hij al die jaren uitstekend uit functionerings- en beoordelingsgesprekken was gekomen. Hij stond bekend als een modelmedewerker en als een van de beste ontwikkelaars op zijn vakgebied.

Handschoen

Tijdens een managementtraining vroeg de trainer aan de deelnemers wat hen gemotiveerd had om bij hun bedrijf te blijven werken totdat zij een managementfunctie kregen. Een dame zei met een stem die trilde van ontroering: 'Die reden was een baseballhandschoen van € 19. Ik werkte nog maar een paar dagen bij het bedrijf en kreeg een telefoontje van mijn zoontje van negen. Hij vertelde dat hij een baseballhandschoen nodig had en dat die € 19 kostte. Mijn hart brak bijna, maar ik moest hem uitleggen dat ik daar, als hardwerkende alleenstaande moeder, geen geld voor had omdat er nog allerlei rekeningen betaald moesten worden. Ik zei dat ik misschien over twee of drie maanden wel handschoenen zou kunnen betalen. Hij snapte het, maar was diep teleurgesteld.
De volgende dag riep mijn baas mij bij zich in haar kantoor. Ik vroeg me af of ik misschien iets fout gedaan had en liep gespannen naar binnen. Toen gaf mijn baas me een doos. 'Ik hoorde toevallig wat je gisteren tegen je zoontje zei', zei ze 'en ik weet hoe moeilijk zoiets uit te leggen is aan je kind. Daarom geef ik je deze baseballhandschoen voor je zoontje. Zodat hij niet het idee kan krijgen dat die rekeningen belangrijker zijn dan hij. Je weet dat we goede krachten zoals jij hier niet voldoende kunnen betalen. Maar we willen wel op een andere manier laten zien hoe belangrijk je voor ons bent!' 'Op dat moment heb ik mezelf beloofd daar niet meer weg te gaan.'

Grote schoonmaak

Smid klopt aan bij de kamer van zijn baas en zegt een beetje bedeesd: 'Chef, morgen is de grote schoonmaak thuis en mijn vrouw heeft me nodig voor de zolder en de garage. U weet wel, leeghalen, uitzoeken, vegen, weggooien. Kan ik morgen een vrije dag opnemen?'
'Sorry Smid, maar we komen personeel te kort', antwoordt zijn baas, 'ik zou het graag willen, maar ik kan je echt geen vrije dag toestaan.'
Opgelucht zegt Smid: 'Dank u baas, ik wist dat ik op u kon rekenen!'

Unvollendete

Een directeur die kaartjes had voor de 'Unvollendete' van Schubert was de avond van het concert plotseling verhinderd. Hij besloot de kaarten aan zijn HR-manager te geven.
De volgende dag vond hij een notitie op zijn bureau waarin de manager had geschreven: het was een mooi concert, maar er valt nog veel te verbeteren.

- De vier hoboïsten hadden langdurig niets te doen. Dat is zonde van hun tijd. Hun partijen kunnen gemakkelijk over het hele orkest worden verdeeld.
- Alle twaalf violisten speelden steeds dezelfde noten. Dat zijn overbodige doublures. Als er per se een groot klankvolume nodig is, kan met elektronische versterking worden gewerkt.
- Veel arbeidskracht kostte ook het spelen van 1/32-noten. Dit is een onnodige verfijning. Wanneer men alleen hele noten speelt, kunnen zelfs hulpkrachten en vrijwilligers worden ingezet.
- Het is niet nodig dat de hoorns precies alle passages herhalen die net door de snaarinstrumenten zijn gespeeld.
- Als men alle overtollige passages schrapt, dan kan het concert van 25 minuten tot 4 minuten worden teruggebracht. Als Schubert dit zelf had bedacht, had hij zijn achtste symfonie gewoon kunnen voltooien.

Opvolger

Een succesvolle CEO van een bank vindt dat de tijd gekomen is om plaats te maken voor een jongere opvolger. Hij besluit niet een van zijn kinderen te benoemen, ook niet een van zijn directieleden, maar hij roept alle jonge medewerkers van de bank bij elkaar
'Ik ga stoppen als bestuurder' zegt hij tegen alle jonge talenten 'en ik ga een van jullie benoemen als mijn opvolger. Jullie kunnen laten zien wat je waard bent door het zaadje dat je van me krijgt goed te verzorgen. Over een halfjaar zie ik jullie terug met het resultaat en maak ik mijn keuze.'
Alle aanwezigen kregen een bloempot mee met daarin een zaadje. Iedereen verzorgde het zaadje goed, maar er gebeurde niks. Toch was daar in de gesprekken op kantoor weinig van te merken. Jim, een van de medewerkers, zat er vreselijk mee dat het zaadje dat hij gekregen had niet wilde ontkiemen. Maar van zijn collega's hoorde hij alleen maar succesverhalen. De een zou een nog grotere plant hebben gekweekt dan de andere.
Toen brak de dag aan waarop iedereen het resultaat moest tonen. Jim schaamde zich dood en wilde niet gaan, maar zijn vrouw praatte net zo lang op hem in totdat hij wel ging. Daar stond iedereen met zijn bloempot. Het was een bonte mengeling van alle mogelijke soorten planten en bloemen. Jim voelde dat zijn collega's minachtend naar hem keken, want hij was de enige met een bloempot zonder plant. Toen verscheen de CEO. 'Wat een prachtige verzameling van verschillende planten en bloemen' zei hij, 'ik ben onder de indruk!' Jim kon wel in de grond zakken op dat moment. Maar plotseling zei de CEO: 'Wil die jongeman achterin met die lege bloempot naar voren komen?' Jim schuifelde aarzelend naar voren. Hij rekende erop ontslagen te worden. Toen zei de CEO: 'Zie hier mijn opvolger, jullie nieuwe bestuurder!' en hij wees op de stomverbaasde Jim. 'Kijk', zei hij vervolgens, 'Ik heb jullie allemaal een zaadje gegeven dat gekookt was en dus niet kon ontkiemen. Jullie hebben allemaal een creatieve oplossing gezocht, maar er is er maar een die de werkelijkheid aanvaard heeft. Daarom benoem ik Jim tot mijn opvolger!'

Teamwerk

Een beroemde organist geeft een concert in een oude kerk. Het orgel is niet uitgerust met elektrische windvoorziening, maar er moet gepompt worden. Een jonge knul is bereid gevonden om de blaasbalgen te bedienen. Alles gaat prima, tot het moment waarop de jongen zijn hoofd om de hoek steekt en tegen de organist fluistert: 'We doen 't goed samen, vind je niet?' 'Hoe bedoel je samen?' protesteert de organist.
Een paar minuten later, midden in een virtuoos loopje, stopt het orgel plotseling en geeft geen enkel geluid meer. De organist trekt wanhopig aan alle registers en drukt op alle knoppen, maar tevergeefs.
Dan ziet hij het hoofd van de jongen opnieuw om de hoek, met een brede glimlach op zijn gezicht. Hij zegt: 'Snap je nu wat ik bedoel met: samen?'

Prestatie

De kandidaten voor een functie kregen tijdens het sollicitatiegesprek de vraag wat tot dan toe hun grootste prestatie op hun werk was. Ze kwamen met de meest gezwollen antwoorden. De een had het bedrijf van een dreigend faillissement gered, de ander had een uitvinding gedaan die vervolgens vermarkt was door zijn baas en waar hij geen cent wijzer van was geworden. Een derde vertelde dat hij de grootste order in de geschiedenis van het bedrijf had binnengesleept. De volgende kandidaat vertelde vol trots dat hij een roman had geschreven. 'Dat bedoel ik niet!', riep de personeelsman uit, 'ik vroeg naar je grootste prestatie OP JE WERK'. Waarop de sollicitant zonder blikken of blozen antwoordde: 'Maar dat boek heb ik onder werktijd geschreven!'

Hydrodynamica

Er waren veel sollicitanten voor de baan van onderhoudsmedewerker aan de stuwdam. Kennelijk leek het veel mensen een aantrekkelijke baan, ondanks het feit dat het werken aan zo'n kolos niet zonder gevaar was. Een van de sollicitanten was Mulla Nasrudin. Alle belangstellenden moesten eerst een schriftelijke test afleggen. Nasrudin was wel heel snel klaar; binnen vijf minuten leverde hij zijn werk in en verliet met een vriendelijke glimlach de zaal. De surveillant bekeek verwonderd en nieuwsgierig het werk van Nasrudin. De eerste vraag luidde: 'Wat betekent hydrodynamica?' Het antwoord van Nasrudin was: dat betekent dat ik deze baan niet krijg.

Startsalaris

Tegen het einde van het sollicitatiegesprek vroeg de personeelsmedewerker aan de net afgestudeerde, ambitieuze kandidaat met een MBA achter zijn naam: 'Wat zijn je ideeën over je startsalaris?'
Zonder met zijn ogen te knipperen zei de jongeman: 'Ik dacht aan iets in de buurt van € 125.000, maar het hangt een beetje af van mijn secundaire arbeidsvoorwaarden.'
'Wat dacht je dan van 40 vakantiedagen, gratis medische en tandheelkundige zorg, een premievrij pensioen en om de twee jaar een nieuwe leaseauto, te beginnen met een BMW-cabrio?' zei de HR-man prompt.
De sollicitant ging rechtop zitten en zei: 'Wow!! U maakt toch zeker een grapje?'
Waarop de personeelsmedewerker zei: 'Inderdaad, maar jij begon!'

Meestermeubelmaker

Een meestermeubelmaker in het oude China kreeg van de keizer de opdracht een kast te maken voor de slaapkamer in het paleis van de keizer. De meubelmaker, een zenmonnik, zei tegen de keizer dat hij de eerste vijf dagen niet in staat was om te werken. De spionnen van de keizer zagen dat de monnik de hele tijd stilzat en ogenschijnlijk niets uitvoerde. Toen de vijf dagen voorbij waren, stond de monnik op en maakte binnen drie dagen de meest prachtige kast die iemand ooit gezien had. De keizer was zo tevreden en zo nieuwsgierig dat hij de monnik bij zich liet komen en hem vroeg wat hij gedaan had gedurende de vijf dagen voordat hij aan de slag ging.
De monnik antwoordde: 'De eerste dag bracht ik door met elke gedachte aan falen, vrees of bestraffing los te laten voor het geval mijn werk de keizer niet zou bevallen. De tweede dag bracht ik door met het loslaten van elke gedachte aan ongeschiktheid en aan het idee dat mij de vaardigheden zouden ontbreken om voor de keizer een waardige kast te maken. De hele derde dag bracht ik door met het loslaten van elke hoop op en ieder verlangen naar roem, eer en beloning voor het geval dat ik een kast zou maken die de keizer zou bevallen. De vierde dag hield ik me bezig met het loslaten van de trots die in me zou kunnen groeien als mijn werk succesvol zou zijn en ik de lof van de keizer zou ontvangen. En de hele vijfde dag was ik bezig om me in mijn geest een heldere voorstelling te maken van deze kast, in de overtuiging dat zelfs een keizer zich een kast zou wensen als waar u nu voor staat.'

Tol

Als je ooit een tolpoortje gepasseerd bent, dan weet je dat de relatie met de tolbeambte niet de meest intieme zal zijn. Het is een van de meest vluchtige contacten die er zijn: je stopt, betaalt, krijgt je wisselgeld en je ticket en rijdt weer verder.
Maar niet altijd! Onlangs passeerde ik een tolstation, reed op een van de loketten af en hoorde harde muziek. Alsof er een feestje gaande was. Ik keek om me heen, maar zag geen andere auto's waar muziek uit kon komen. Ik stopte bij het loket. De tolbeambte was aan het dansen!
'Wat doe je?' vroeg ik.
'Ik bouw een feestje' zei hij.
'Doen je collega's niet mee?' vroeg ik.
Hij wees naar de andere loketten en zei: 'Wat zijn dat, denk je?'
'Dat zijn toch gewoon tolloketten, net als deze', antwoordde ik.
'Voor mij zijn het verticale doodskisten. Om 8.30 uur 's morgens stappen er levende mensen in, acht uur lang zitten ze ongeveer dood te gaan en om 4.30 uur staan ze weer op uit de dood zoals Lazarus en gaan ze naar huis. Acht uur lang staat hun verstand stil, bewegen ze automatisch en doden ze de tijd, of de tijd doodt hen.'
Ik was stomverbaasd over de redenering die hij ophing, die klonk als een filosofie. Zestien mensen zitten als doden op hun werk en de zeventiende heeft in exact dezelfde omstandigheden een manier van leven uitgedacht. Ik vroeg hem: 'Maar waarom ga jij er dan anders mee om? Jij hebt het duidelijk naar je zin.'
Hij keek me aan en zei: 'Ik wist dat je dat zou vragen. Ik begrijp niet waarom mensen op voorhand denken dat mijn baan saai zou zijn. Ik heb een hoekkamer met glas rondom. Ik heb uitzicht op de mooiste brug van het land aan de ene kant en de bergen aan de andere kant. Er komen allemaal vriendelijke mensen langs die op vakantie zijn, ik zie mooie auto's voorbij rijden. En als het rustig is, heb ik alle tijd om het dansen te oefenen.'

Reorganisatie

De directie van een grote staalfabriek meende dat het tijd was om het personeel eens door te lichten. Het bedrijf huurde een interim-directeur Personeel in om een reorganisatie door te voeren. De interimmer was van plan alle luilakken er als eerste uit te werken.
Toen hij rondgeleid werd door het bedrijf zag hij een knul tegen de muur geleund staan die stond te niksen. Omdat de ruimte vol stond met medewerkers zag de nieuwe baas zijn kans schoon om te laten zien dat er echt iets stond te gebeuren. Hij liep op de knul af en vroeg luid: 'Hoeveel verdien jij per week?' Met een verbaasd gezicht antwoordde de jongen: '€ 400 per week, hoezo?' 'Wacht even', zei de nieuwe baas. Hij spoedde zich naar zijn kantoor en kwam na enkele minuten weer terug. Hij gaf de jongen € 1600 cash en zei opnieuw luid en duidelijk: 'Hier heb je vier weken loon, en nu wegwezen! Ik wil je hier niet meer zien!' De jongen smeerde hem ogenblikkelijk.
Met een voldane blik keek de baas rond en vroeg: 'Kan iemand me vertellen wat deze nietsnut hier überhaupt deed?'
Van de overkant klonk: 'Dat was de koerier van de pizzeria in het dorp.'

Ontslag

Van Soest werkt als directeur in een groot bedrijf. Hij heeft een topsalaris en mooie secundaire arbeidsvoorwaarden. Zijn vrouw zorgt thuis voor hun drie prachtige kinderen. Iedere dag als hij naar zijn werk rijdt, ziet hij een dakloze man. De man vraagt nooit om geld, maar af en toe stopt Van Soest hem een paar dollars toe.
Op een dag vraagt de baas van Van Soest of hij op zijn kantoor wil komen. Als een donderslag bij heldere hemel deelt zijn baas hem mee dat het zo slecht gaat met het bedrijf dat zij hem moeten laten gaan.
Van Soest is ten einde raad. Waar kan hij ooit weer aan de slag in deze omstandigheden en met zijn specialistische kennis?
Onderweg naar huis spookt er van alles door zijn hoofd: hypotheek, lening voor de auto, energierekeningen, ziektekostenpremie. Zijn hartslag slaat op hol. Gelukkig is zijn gezin gezond, maar wat als er iets misgaat?
Onderweg ziet hij de dakloze man vredig in slaap. 'Hoe kan dat nou' vraagt hij zich af, 'hoe kan die man nou rustig slapen?'
De volgende dag maakt hij een ochtendwandeling en komt de dakloze tegen. Die vraagt hem waarom hij zo triest kijkt. Van Soest vertelt hem dat hij zijn baan is kwijtgeraakt.
'Nou en?' zegt de man, 'ik ben mijn baan tien jaar geleden kwijtgeraakt!'
'Wat deed je dan?' vraagt Van Soest.
'Ik was CEO' antwoordde de man.
Van Soest reageert geschrokken en vraagt: 'Waarom heb je nooit meer een andere baan gevonden?'
'Wie zegt dat ik geen baan heb?' reageert de man. 'Ik ben informant van de FBI, ik vorm de ogen en oren van de samenleving, ik schrijf, ik lees. Ik verdien meer dan jij!'
Van Soest is sprakeloos en kijkt naar de man die hij altijd een beetje beschouwd heeft als uitschot. 'Maar hoe ben je aan deze baan gekomen?' vraagt hij.
'Het gaat er niet om hoe ik deze baan *gekregen* heb. Het gaat erom wat ik gedaan heb toen ik mijn baan kwijtraakte. Toen ik ontslagen werd, dacht ik vooral aan mijn geboorte. Toen ik werd geboren, werd ik ontslagen uit het comfort in de baarmoeder van mijn moeder. Ik kwam terecht in het echte leven. Hier word je voortdurend ontslagen uit iedere comfortzone. Als je dat begrijpt en als kans ziet, gaat het vanaf nu alleen maar beter.' En daarop loopt de in lompen geklede man weg.

Schat

De manager van een groot kantoor nodigde een nieuwe medewerker uit in zijn kamer om met hem kennis te maken. 'Hoe heet je?' was het eerste dat hij vroeg. 'Ik heet Karel', antwoordde de nieuwe man. De manager fronste zijn voorhoofd en zei: 'Luister eens knul, ik weet niet bij wat voor ballentent je hiervoor gewerkt hebt, maar ik ga mijn medewerkers niet bij hun voornaam noemen! Dat zorgt voor een familiaire cultuur die het einde betekent van alle autoriteit. Ik spreek mijn medewerkers aan met hun achternaam. Smid, Jansen, Bakker en zo zit dat! Ik hoop dat ik duidelijk ben geweest. Wat is jouw achternaam?'
De nieuwe man glimlachte en zei 'Schat, meneer. Ik heet Karel Schat.'
Het was even stil en toen zei de manager: 'Oké Karel', het tweede dat ik met je wilde bespreken is...

Schone liften

Een nieuwe medewerker in een hotel kreeg de opdracht om de liften schoon te maken en zich weer te melden bij zijn baas zodra hij klaar was. Aan het eind van de dag had de man zich nog niet gemeld. Zijn baas dacht dat hij misschien baalde van het werk en hem gesmeerd was. Dat was wel vaker gebeurd. Een paar dagen later liep hij de medewerker opeens weer tegen het lijf. Hij was een van de liften aan het schoonmaken. 'Je gaat me toch niet vertellen dat je al vier dagen bezig bent met het schoonmaken van de liften?!'
'Jawel meneer', was het antwoord. 'Het is een enorme klus en ik ben nog niet klaar. Hebt u wel door dat er bij elkaar veertig van die dingen zijn? Op elke verdieping twee. En soms kan ik de lift op een verdieping helemaal niet vinden.'

Storm

Jaren geleden was een boer die een stuk land had langs de Atlantische kust al een tijd lang op zoek naar een knecht. Maar de meeste mensen hadden er geen trek in om op zo'n boerderij te werken. Ze vreesden de verschrikkelijke stormen die op de boerderijen en de oogst beukten.
Uiteindelijk kwam een magere en pezige man van middelbare leeftijd op de boer af. 'Ben jij een goede boerenknecht?' vroeg de boer hem. 'Nou, ik kan slapen als het stormt', antwoordde de schriele man. Hoewel de boer zich afvroeg wat hij daarmee bedoelde, nam hij hem toch aan omdat hij de wanhoop nabij was. En de knecht deed het goed op de boerderij. Hij werkte van de vroege ochtend tot de late avond en de boer was tevreden.
Toen, op een nacht loeide de wind van zee om het huis. Er was zware storm op komst. De boer sprong uit zijn bed, greep een lantaarn en rende naar de slaapkamer van zijn knecht. Hij schudde hem door elkaar en riep: 'Opstaan! Het gaat vreselijk stormen. Je moet alles vastbinden voordat het de lucht in gaat!' De man draaide zich om in zijn bed en zei met kracht: 'Nee baas! Ik zei toch, ik kan slapen als het stormt!' De boer werd razend en stond op het punt de knecht er direct uit te schoppen. Maar hij bedacht zich en rende naar buiten om zelf de boel te gaan vastbinden. Tot zijn stomme verbazing zag hij echter dat alle hooistapels afgedekt waren met zeildoek. De koeien stonden binnen, de kippen zaten in het hok en alle deuren waren vergrendeld. Alles was vastgebonden.
Toen begreep de boer wat zijn knecht bedoelde en hij ging naar bed om te slapen terwijl de storm naderde.

Tijd kopen

Een man komt thuis van zijn werk, het is alweer laat geworden en hij is moe. Tot zijn ergernis zit zijn vijf jaar oude zoontje op hem te wachten bij de deur en vraagt: 'Papa, mag ik je wat vragen?' 'Natuurlijk, wat wil je weten', antwoordde de man. 'Papa, hoeveel verdien jij per uur?' 'Dat gaat je niks aan, waarom wil je dat weten?', reageert hij geërgerd. 'Ik wil het gewoon weten, wil je het me alsjeblieft vertellen?' 'Nou ja, als je het per se wilt weten, ik verdien twintig euro per uur.' 'Oh', zegt het jongetje met z'n gezicht naar beneden. Hij kijkt op en vraagt: 'Pap, mag ik dan alsjeblieft tien euro van je lenen?'
Zijn vader is woest. 'Als de enige reden waarom je wilt weten hoeveel ik verdien, is dat je tien euro wilt lenen om een of ander dom stuk speelgoed te kopen, loop dan maar meteen door naar je kamer en ga maar naar bed. Ga maar eens nadenken hoe het komt dat je alleen aan jezelf denkt. Ik werk hard en maak lange dagen en ik heb geen tijd voor dat kinderachtig gedoe!'
Het jochie gaat rustig naar zijn kamer en doet de deur achter zich dicht. Zijn vader gaat zitten en wordt nog bozer dan hij al was over de vraag van zijn zoontje. Hoe durft hij zoiets te vragen, alleen om aan geld te komen?
Na een uur kalmeert hij wat en begint te denken dat hij misschien een beetje te hard is uitgevallen tegen zijn zoontje. Misschien moet hij wel iets kopen dat hij nodig had en heef hij daarvoor dat geld nodig, want hij vraagt eigenlijk nooit om geld. Hij gaat de kamer van zijn zoontje binnen en vraagt: 'Slaap je?' 'Nee pap, ik ben wakker', antwoordt het kind. 'Ach, misschien viel ik een beetje te hard uit', zegt de man. 'Het was een lange dag en ik heb mijn moeheid een beetje op jou afgereageerd. Hier is de tien euro waar je om vroeg.'
Het jochie gaat overeind zitten en roept uit: 'Dank je papa.' Dan reikt hij onder zijn kussen en haalt enkele in elkaar gefrommelde bankbiljetten tevoorschijn. Als zijn pa ziet dat hij dus al geld had, begint hij opnieuw kwaad te worden. Het ventje telt langzaam het geld en kijkt dan op naar zijn vader. Die gromt: 'Waarom wilde je meer geld, terwijl je al geld had?' 'Omdat ik niet genoeg had, maar nu wel!', is het antwoord. 'Papa, hier heb je twintig euro, kan ik een uur van je tijd kopen?'

Bemoediging

Daniel Gabriel Rosetti, de beroemde 19e eeuwse dichter en kunstenaar, werd ooit benaderd door een oudere man. De man had een paar schetsen en tekeningen bij zich en hij wilde graag dat Rosetti ernaar keek en hem vertelde wat hij ervan vond en of er enig talent uit bleek.
Rosetti bekeek ze zorgvuldig. Al snel zag hij dat ze waardeloos waren en dat er geen greintje talent achter zat. Maar Rosetti was een aardige man en zo zachtmoedig als hij kon, vertelde hij de oude man dat de tekeningen niet zoveel voorstelden en dat er niet veel talent uit sprak. Hij vond het vervelend, maar wilde niet liegen tegen de man. De bezoeker was teleurgesteld, maar het leek alsof hij wel verwacht had dat dit eruit zou komen. Hij verontschuldigde zich dat hij beslag gelegd had op Rosetti's tijd, maar vroeg toch of de meester zich wilde buigen over nog een paar andere tekeningen, gemaakt door een jonge student. Rosetti bekeek welwillend de tweede serie en werd direct enthousiast over het talent dat daaruit sprak. 'Deze', zei hij, 'zijn zo goed! Deze jonge student heeft echt talent. Hij zou aan alle kanten ondersteund moeten worden om zijn talent te ontwikkelen. En als hij bereid is er hard voor te werken, ligt de toekomst als kunstenaar voor hem open!'
Rosetti zag dat de man diep geraakt was. 'Wie is die jonge kunstenaar?' vroeg hij, 'jouw zoon?' 'Nee', zei de man treurig, 'dat ben ik zelf, veertig jaar geleden. Oh, als ik toen deze reactie had gekregen. Maar, ik werd ontmoedigd en gaf het op, kennelijk te snel.'

Foutje

Een jongeman trad als trainee in dienst van een multinational. Hij was nogal vrolijk en onaangepast van karakter en belde op zijn eerste werkdag naar de kantine en riep in de telefoon: 'Een koffie graag, en snel een beetje!'
Een stem aan de andere kant barstte uit: 'Idioot, je hebt het verkeerde nummer gekozen! Weet je wel tegen wie je het hebt, mafkees?!'
'Eh, nee', antwoordde de trainee.
'Ik ben de algemeen directeur van het bedrijf, klungel!'
De trainee liet zich niet uit het veld slaan en blafte terug: 'En weet jij dan tegen wie jij het hebt, eikel?'
'Ik heb geen flauw idee' antwoordde de algemeen directeur.
'Mooi zo!', zei de trainee en hij legde de hoorn neer.

Wensen

Een secretaresse, een verkoper en hun manager vinden tijdens de lunchwandeling een oude olielamp. De manager wrijft de lamp op en er verschijnt een geest die zegt: 'Jullie mogen alle drie een wens doen.
De secretaresse gilt meteen: 'Ik wil naar Lanzarote, heerlijk in de zon op het strand liggen, met een mooie man die me cocktails brengt' en floep, weg is ze.
De verkoper roept: 'En ik wil naar New York, met een geldige creditcard en een flink tegoed om lekker te winkelen. Ik wil de nieuwste iPhone en ik wil trendy kleren.' En poef, ook hij is ervandoor.
'Jouw beurt', zegt de geest tegen de manager. De manager denkt even na en zegt: 'Ik wil dat die twee direct na de lunch weer terug zijn op kantoor!'

Briljant

Een firma zocht nieuw personeel. Een vraag in de schriftelijke selectietoets was: je rijdt in je auto tijdens een woeste, stormachtige nacht. Je passeert een busstation en je ziet drie mensen die op de bus wachten: een oude dame die eruitziet alsof ze zo zal overlijden, een arts die jouw leven een keer heeft gered, de man of vrouw van je dromen. Je kunt maar een persoon meenemen in je auto. Wie neem je mee? Leg je antwoord uit. Denk goed na voor je verder leest.
De kandidaten dachten: dit moet een soort persoonlijkheidstest zijn. Achter ieder antwoord zit een verhaal. Je zou de oude dame mee kunnen nemen. Ze is er slecht aan toe en zo zou je haar leven kunnen redden. Je zou ook de dokter mee kunnen nemen omdat hij eens je leven heeft gered. Een perfecte kans om iets terug te doen. Hoewel, je kunt de dokter natuurlijk ook later nog belonen, terwijl dit misschien je enige kans is om de partner van je dromen te ontmoeten.
De kandidaat die uiteindelijk werd geselecteerd hoefde zijn antwoord niet uit te leggen. Wat was zijn antwoord? Simpel: geef de autosleutels aan de dokter. Dan kan hij de oude dame naar het ziekenhuis brengen. Ik blijf en wacht op de bus met de man of vrouw van mijn dromen.

Kool en geit

Een personeelschef legde aan alle sollicitanten als intelligentietest altijd het klassieke dilemma voor van de kool, de geit en de wolf, en de roeiboot waarin hij maar één dier of ding tegelijk kan vervoeren. Ze moeten alle drie naar de overkant, maar sommige combinaties moet je niet onbewaakt aan de overkant zetten. De meeste sollicitanten slaan aan het puzzelen, maar komen er niet uit. Slechts zelden is er iemand die doorheeft dat je eerst de geit naar de overkant brengt. Want de wolf eet de kool toch niet op. Vervolgens ga je terug voor de wolf. Daarna breng je de geit weer terug naar de andere kant en breng je de kool naar de wolf. Daarna ga je voor de laatste keer heen en weer om de geit op te halen.

Maar op een dag was er een slimme sollicitant die het heel anders dacht aan te pakken. Hij zei: 'Ik sluit eerst een verzekering af voor het vee, vervolgens leg ik ze op de barbecue, met de kool er in stukken bij. Als ik dat heb verorberd, declareer ik het verloren vee bij de verzekering en geef ik de wolf de schuld!'

'Kunt u vandaag nog bij ons beginnen?' riep de personeelschef uit.

Geen oren

Een man overleefde een verschrikkelijk ongeluk. De meeste verwondingen genazen na verloop van tijd. Maar zijn beide oren moesten worden geamputeerd en die schade was blijvend. Dat was natuurlijk een dagelijks issue voor hem.
Zijn verzekeringsmaatschappij keerde hem een mooi bedrag uit vanwege de blijvende handicap. Nou was het altijd al zijn droom om een eigen bedrijf te beginnen. Het uitgekeerde bedrag stelde hem in staat om een klein ICT-bedrijfje te starten. Omdat hij zelf de benodigde kennis niet had, ging hij op zoek naar een bedrijfsleider met verstand van zaken.
Hij nodigde drie topkandidaten uit voor een gesprek. Het eerst gesprek verliep goed. Een interessante kandidaat en een aardige man. Aan het eind van het gesprek vroeg hij: 'Ziet u iets ongebruikelijks aan mij?'
De man zei heel eerlijk: 'Nu u er zelf over begint: u hebt geen oren.'
Woedend stuurde hij de eerste kandidaat weg.
Het tweede gesprek verliep nog beter. De kandidaat had een top-cv en straalde aan alle kanten enthousiasme uit. Maar ook hier vroeg hij tot slot: 'Valt u iets bijzonders aan mij op?' Ook deze kandidaat zei eerlijk: 'Ja, daar kan ik niet omheen, u hebt geen oren'.
En ook de tweede kandidaat stond binnen de kortste keren buiten.
Het derde gesprek verliep werkelijk fantastisch. De kandidaat was intelligent, ervaren, sympathiek en vertrouwenwekkend. Maar opnieuw vroeg hij: 'Valt u iets bijzonders aan mij op?' De man antwoordde: 'Ja, u draagt contactlenzen.'
Verrast vroeg de man: 'Wow, dat is scherp opgemerkt, maar hoe weet u dat?'
De kandidaat barstte in lachen uit en zei: 'Nou, u kunt geen bril dragen omdat u geen oren hebt!'

Dienaar

Mulla Nasrudin was werkloos en straatarm. Op de een of andere manier had hij een klein bedrag bij elkaar gesprokkeld en zat bonen en rijst te eten in een goedkoop restaurant. Terwijl hij at, keek hij naar de mensen die buiten langsliepen. Zijn oog viel op een lange, knappe man, gekleed als een dandy. Met een fluwelen tulband, een met zilverdraad bestikt vest, een zijden shirt, een pofbroek van satijn en een gouden kromzwaard.
Mulla Nasrudin wees naar de man en vroeg aan de ober: 'Wie is die man daar?'
'Dat is de dienaar van prins Fehmi Pasha', was het antwoord.
Nasrudin zuchtte diep, hief zijn ogen ten hemel en zei: 'Mijn Heer, kijk toch eens naar de dienaar van Fehmi Pasha en dan naar uw eigen dienaar, hier!'

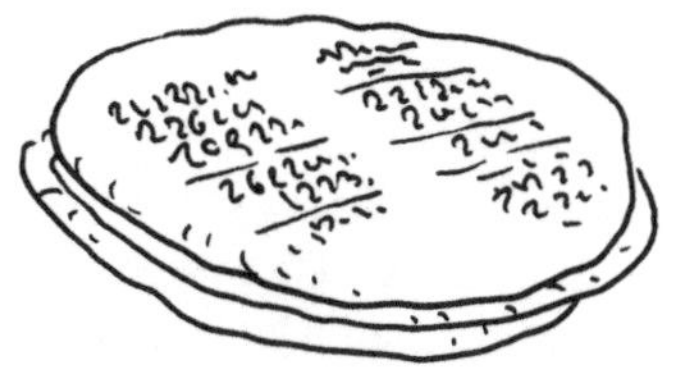

Plat brood

De belastinginspecteur in Nasrudins dorp was corrupt en liet zich voortdurend omkopen. Op een dag liet de burgemeester hem komen om zijn boeken te laten controleren. Hij viel zwaar door de mand en de burgemeester schreeuwde hem woedend toe: 'Je bent ontslagen, maar dat niet alleen, ik veroordeel je ook tot het opeten van de papieren die je hebt meegenomen, en wel onmiddellijk!'
De inspecteur deed wat hem was opgedragen en at kokhalzend zijn administratie op, voor het oog van de burgemeester.
Het nieuws verspreidde zich als een lopend vuurtje door het dorp.
Een week later benoemde de burgemeester Nasrudin tot belastinginspecteur.
De week daarop liet hij hem komen om zijn boekhouding te laten zien. Nasrudin gaf hem een aantal platte broden met daarop een serie cijfers geschreven.
Verbaasd vroeg de burgemeester hem: 'Waarom heb je je boekhouding op brood geschreven?'
'Nou', antwoordde Nasrudin, 'ik heb gezien wat er vorige week met de vorige inspecteur is gebeurd. Daarom heb ik mijn cijfers op broden geschreven. Voor het geval dat.'

Drie enveloppen

Een leidinggevende neemt de taak over van zijn voorganger. Bij diens afscheid adviseert de voorganger: 'In de bovenste la van je bureau liggen drie enveloppen. Als het nou even wat minder gaat, open dan envelop 1. Gaat het nog wat slechter, envelop 2, weet je het echt niet meer, kijk dan in envelop 3.'
Vol goede moed en met dit advies op zak gaat de nieuwe leidinggevende aan de slag. Na de eerste euforie rond zijn aantreden lopen de zaken toch wat moeizamer dan verwacht. Dan herinnert hij zich de enveloppen. Hij opent enveloppe 1 en leest het kaartje dat erin zit: 'Geef je voorganger de schuld!'.
Met beide handen grijp hij dit advies aan en de opkomende storm gaat tijdelijk liggen. Na verloop van tijd grijpt hij vertwijfeld naar enveloppe 2. Hij leest: 'Voer een reorganisatie door'. Een plan wordt gemaakt. Iedereen is er druk, druk, druk mee, meewerkend of tegenwerkend. Echt helpen blijkt het niet te doen. Redelijk radeloos neemt hij enveloppe 3 uit de la, hij trekt het kaartje er langzaam uit en leest het derde en laatste advies: 'Maak drie enveloppen klaar!'

Gedachten lezen

Martin was onderweg naar zijn werk nadat hij twee weken in New York had doorgebracht met zijn broer. Hij was een beetje zwaarmoedig. Niet alleen omdat dit het einde was van twee bijzondere weken en ook niet omdat de jetlag hem behoorlijk parten speelde. Het was vooral omdat de maandagmorgen op zijn werk altijd begon met een MT-vergadering. En daar had hij in de afgelopen maanden een behoorlijke aversie tegen ontwikkeld: vanwege de dubbele agenda's die hij vermoedde bij zijn collega's. Vanwege de spelletjes waar ze in stapten. Vanwege het gebrek aan openheid. De vergaderingen zelf waren al geen pretje, maar het gemopper achteraf was nog erger: 'het zijn ook altijd dezelfde die aan het woord zijn', 'ik vond het niet eens zo'n slecht idee, maar vond het beter om mijn mond niet open te doen', 'ik had wel een goede suggestie, maar het is daar toch paarlen voor de zwijnen gooien'.
Toen de bijeenkomst begon, zette Martin zich schrap voor het gebruikelijk gezeur en de bekende sleur. Maar al snel na het begin hoorde hij een vreemd achtergrondgeruis. Eerst dacht hij dat hij het lawaai van het vliegtuig nog in zijn oren had. Maar toen hij zich concentreerde, werd het geluid duidelijker. Na een tijdje realiseerde hij zich dat hij kon horen wat zijn collega's zeiden, maar tegelijkertijd ook wat zij dachten! En het viel hem direct op dat wat zij zeiden in veel gevallen helemaal niet overeenkwam met hun gedachten van dat moment. Ze noemden hun bezwaren tegen een voorstel niet. Inzichten die mogelijk niet populair waren, hielden ze voor zich. Sommigen hadden briljante gedachten, maar deelden ze niet.
Martin kon het niet laten om iets met deze kennis te doen. Daarom begon hij op een vriendelijke manier in te grijpen in de gesprekken. Op basis van wat hij zijn collega's hoorde denken. Hij zag dat zijn collega's daar ongemakkelijk op reageerden. Ze keken hem niet begrijpend aan. Ze vroegen zich kennelijk af hoe hij tot zulke rake vragen en opmerkingen kwam.
Martin schudde zijn gêne van zich af en nam een steeds actievere rol aan in het overleg. Tot het hem begon op te vallen dat zijn collega's een rimpel in hun voorhoofd trokken als hij zelf iets inbracht. Hier en daar ontwaarde hij zelfs een mysterieuze glimlach. En langzaam begon het bij hem te dagen: zij konden dus ook zijn gedachten horen! En ook Martin zei niet wat hij echt dacht.

De sfeer en de toon van het overleg veranderden zienderogen. Collega's gingen serieus op elkaars woorden in en stelden scherpe vragen. Men werd directer tegen elkaar, voorstellen kwamen beter uit de verf en het onderlinge vertrouwen groeide merkbaar.
Toen de vergadering voorbij was en iedereen naar zijn werkplek liep, merkte hij dat hij nog steeds de gedachten van zijn collega's kon horen: 'dat was het meest vruchtbare overleg ooit', 'zo moeten we het altijd doen', 'vanaf nu ga ik gewoon zeggen wat ik denk'.

Kwal

Het is een spannende baan, lasser op de zeebodem. En het is er bitter koud. Zo koud dat je je bijna niet kunt bewegen. Maar daar hebben we iets op gevonden: onze duikerpakken sluiten we aan op een diesel-kachel-pomp die mee gaat naar de bodem. Dat apparaat verwarmt zeewater, pompt het aan de ene kant ons pak in en aan de andere kant zuigt hij het er weer uit. Alsof je werkt in een warm bubbelbad. Heerlijk!
Tot de dag waarop ik nietsvermoedend aan het werk was op de zeebodem. De kachel pompte warm water mijn pak in en uit. Opeens kreeg ik een branderig gevoel dat langs mijn ruggengraat naar beneden kroop. Ik krabde zo goed en zo kwaad als het ging, maar het werd alleen maar erger. Even later voelde mijn hele achterwerk aan alsof het in brand stond. Maar dat kon natuurlijk niet onder water. Toen snapte ik wat er aan de hand was. De pomp had een kwal opgezogen en die gleed langzaam langs mijn rug naar beneden en schoot zijn duizenden pijlen op mij af. En met mijn gekrab had ik het alleen maar erger gemaakt. Ik schreeuwde in paniek door de intercom en werd getrakteerd op een daverend gelach aan de andere kant. Hikkend van de lach gaf de operator mij instructies. Het duurde vanwege de decompressie drie kwartier voor ik boven was en mijn pak uit kon doen. De dokter gaf me een tube zalf tegen de brandende pijn. De kwal had het niet overleefd. Ik ternauwernood. Twee dagen kon ik vanwege de zwellingen niet naar de wc.
Denk hieraan als je een slechte dag hebt op je werk. Wees dan blij dat je geen kwal in je pak hebt!

Aanname

Nasrudin werd aangesteld als bewaker. Zijn baas riep hem en vroeg hem of het regende. 'Ik moet bij de Sultan op bezoek en het stijfsel in mijn mantel is niet zo sterk meer. Als het regent verandert hij in een vod.'
Nasrudin was nogal lui aangelegd. Bovendien ging hij er prat op er meester in te zijn om uit kleine aanwijzingen af te leiden hoe de situatie was. En de kat was net naar binnen gepiept, druipend van het water.
Zonder buiten gekeken te hebben zei hij: 'Meester, het stortregent.'
De meester spande zich in om vervanging te vinden voor zijn nette mantel.
Maar toen hij buiten kwam bleek er geen druppel regen te vallen. Woedend liet hij zijn bewaker roepen. Die moest toegeven dat hij niet buiten had gekeken, maar zich had gebaseerd op de natte kat. Blijkbaar had iemand een emmer water over de kat heen gegooid toen hij in de keuken liep.
Nasrudin kon op zoek naar een andere baan.

Ongeval

Geachte heer,
Ik schrijf u in reactie op uw verzoek om nadere informatie naar aanleiding van het formulier voor melding van een ongeval. De oorzaak van het onderzoek is te omschrijven als 'slechte planning'. Ik ga ervan uit dat de volgende beschrijving voldoende zal zijn.

Ik ben metselaar van beroep. Op de dag van het ongeval werkte ik alleen op het dak van een nieuw gebouw met zes verdiepingen. Toen ik klaar was had ik een aantal stenen over met een gewicht van ongeveer honderdvijftig kilo. Ik had geen zin om ze naar beneden te sjouwen en besloot ze te laten zakken in een kruiwagen, met behulp van een lier die aan de zesde verdieping was bevestigd. Ik hees vanaf de begane grond de kruiwagen op, maakte het touw op de grond stevig vast en ging naar boven om de kruiwagen te vullen. Toen ging ik naar beneden, maakte het touw voorzichtig los en hield het stevig vast om de kruiwagen langzaam te laten zakken. Op het formulier kunt u zien dat ik honderd kilo weeg. Tot mijn verbazing werd ik zo plotseling opgetild van de grond dat ik vergat om het touw los te laten. U begrijpt dat ik razendsnel omhoogschoot.

Halverwege kwam ik de kruiwagen tegen die met dezelfde snelheid omlaag schoot. Dat verklaart de barst in mijn schedel, diverse schaafwonden en een gebroken sleutelbeen zoals vermeld op het formulier. Met dezelfde snelheid schoot ik verder omhoog totdat mijn handen tot aan de knokkels in de lier terecht kwamen. Ondanks de felle pijn was ik toch in staat om het touw vast te houden. Op hetzelfde moment echter raakte de kruiwagen de grond waardoor de bodem uit de kruiwagen brak. Zonder het gewicht van de stenen woog de kruiwagen nog maar dertig kilo. U weet inmiddels hoeveel ik zelf weeg, dus u kunt zich voorstellen dat ik razendsnel naar beneden schoot. Op de hoogte van de derde verdieping kwam ik de kruiwagen weer tegen. Dat veroorzaakte twee gebroken enkels, diverse kapotte tanden en snijwonden aan mijn onderbenen.

Vanaf dat moment leken mijn kansen te keren. Ik viel op de stapel stenen met drie gebroken ruggenwervels als gevolg maar werd niet opnieuw opgetild. Maar toen ik op die stapel stenen lag kon ik me niet bewegen en zag ik de lege kruiwagen, zes verdiepingen boven me. Doordat ik versuft was liet ik het touw los. De lege kruiwagen stortte bovenop me. Ik probeerde hem op te vangen met mijn armen.
Dat verklaart de twee gebroken polsen.
Ik hoop dat ik met deze uitleg voldoe aan uw verzoek om nadere informatie.

Juiste maat

Jaren geleden kwam een ruiter langs een groepje soldaten dat vergeefs probeerde een enorme boomstam te verplaatsen. De korporaal stond naast de worstelende mannen. De ruiter vroeg aan de korporaal waarom hij niet meehielp. De korporaal antwoordde: 'Ik ben de korporaal, ik geef orders.'
De ruiter sprong van zijn paard, liep op de mannen af en begon hen te helpen en met zijn hulp lukte het om de boomstam te verplaatsen. Die ruiter was George Washington, opperbevelhebber van de strijdkrachten. Rustig steeg hij weer op zijn paard, reed op de korporaal af en zei: 'De volgende keer dat jouw mannen hulp vragen, laat dan de opperbevelhebber halen!'
Toen diezelfde George Washington in de buurt van Washington reed met een groep vrienden, sprongen ze over een muurtje. Een hengst schopte een aantal stenen los. 'Die kunnen we maar beter even terugleggen', suggereerde de generaal. 'Ach, laat die boer dat zelf doen' antwoordden zijn vrienden.
Maar na de paardrijdtocht stuurde Washington zijn paard terug naar diezelfde plek. Hij stapte af bij het muurtje en legde de stenen zorgvuldig terug.
'Oh generaal', zei een van zijn maats, 'u bent toch veel te groot voor zoiets?'
'Integendeel', antwoordde Washington, 'ik heb hiervoor precies de juist maat.'

Smid

De oude smid realiseerde zich dat hij het niet lang meer zou volhouden om elke dag zo hard te werken. Jarenlang had hij van de vroege ochtend tot de late avond het zware werk gedaan bij het gloeiendhete vuur. Hij had het vuur opgerakeld en het vormeloze ijzer bewerkt met zijn zware hamer, paarden beslagen, hekken gesmeed met mooie krullen. Maar het ging hem steeds moeilijker af. Daarom zocht hij een sterke jonge knul uit om zijn opvolger te worden. De smid was een brommerige en veeleisende leermeester. En de jonge knul kon er nog niets van. 'Vraag me niet teveel' bromde de smid, 'maar doe gewoon wat ik je zeg!'
Op een dag haalde de smid een stuk roodgloeiend ijzer uit het vuur en legde het op het aambeeld. 'Pak de voorhamer', zei hij, 'en als ik met mijn hoofd knik, geef je er een harde klap op.'
En nu is het dorp op zoek naar een nieuwe smid.

Belangrijk

De zes belangrijkste woorden van een manager zijn: 'Sorry, ik heb een vergissing gemaakt.'
De vijf belangrijkste woorden van een manager zijn: 'Ik ben trots op u.'
De vier belangrijkste woorden van een manager zijn: 'Wat vind jij ervan.'
De drie belangrijkste woorden van een manager zijn: 'Kan ik helpen?'
De twee belangrijkste woorden van een manager zijn: 'Dank je.'
Het belangrijkste woord van een manager is: 'Wij.'

Ondertekening

Gerrit had de ambachtsschool niet afgemaakt. Alle praktijkvakken gingen hem gemakkelijk af. Het was een knul wiens handen konden maken wat zijn ogen zagen. Maar theorievakken waren niet aan hem besteed. En zeker talen niet. Zijn Engels leek nergens op en hij was een ware wanhoop voor zijn leraar. En zodra er meer van hem gevraagd werd dan basaal rekenen, dan ging het licht helemaal uit. Helaas paste deze handige jongen niet in het schoolsysteem. En na een paar teleurstellende gesprekken haalde zijn vader hem van school. Gerrit moest maar gaan werken. Hij regelde een baan voor hem in de weverij waar hij de machines moest onderhouden. En dat kon hij als de beste. Als een machine vastliep, had Gerrit hem zo weer aan de praat. Aan een lopende machine kon hij horen waar een vastloper dreigde.

Het duurde niet lang of de directeur bood hem een vast contract aan. Of Gerrit dat maar even wilde tekenen.

'Maar, wat moet ik er dan onder zetten', vroeg Gerrit die in paniek raakte als hij iets moest lezen, laat staan iets schrijven.

'Gewoon, wat je ook onder een brief zet', zei de directeur geruststellend.

Waarop Gerrit met hanenpoten zijn arbeidscontract ondertekende met:

'Je liefhebbende Gerrit'.

Persoonlijk getest

Als je zo'n dag hebt waarop je baalt van je werk, probeer dan eens het volgende recept: stop als je op weg bent naar huis bij de apotheek en zoek een rectale thermometer van het merk Rectatemp en koop er een. Verzeker je ervan dat je het juiste merk aanschaft. Zodra je thuis bent, doe je de deuren op slot en de gordijnen dicht. Zet je telefoon en je tablet uit, zodat je niet gestoord kunt worden tijdens de therapie. Trek je pyjama of je badjas aan en ga op je bed liggen. Open vervolgens de verpakking en haal voorzichtig de thermometer tevoorschijn. Leg de thermometer voorzichtig op je bed, zodat hij niet kan beschadigen. Haal de gebruiksaanwijzing tevoorschijn en lees hem in zijn geheel. Dan zul je ontdekken dat er in kleine lettertjes staat: 'Iedere thermometer van Rectatemp is persoonlijk getest.'
Sluit je ogen en herhaal de volgende zin zo'n vijf keer hardop: wat ben ik blij dat ik niet op de afdeling kwaliteitscontrole van Rectatemp werk!

Toewijding

Een leerling ging naar zijn leermeester en zei uit de grond van zijn hart: 'Meester, ik ben helemaal toegewijd aan het bestuderen van uw leer. Hoe lang zal ik nodig hebben om me die helemaal eigen te maken?'
Het antwoord van de leermeester was eenvoudig en direct: 'Tien jaar.'
'Maar', stamelde de leerling, 'ik wil het sneller onder de knie krijgen. Ik ben bereid keihard te werken. Ik zal elke dag oefenen, tien of meer uren per dag. Hoeveel tijd heb ik dan nodig?'
De leraar dacht even na en zei toen: 'In dat geval twintig jaar.'

Belemmering

Op een dag zat er op de deur waardoor de kantoormedewerkers naar binnen gingen een groot plakkaat met daarop de tekst: 'Gisteren is de persoon overleden die jou belemmerde in je groei als medewerker van dit bedrijf. We nodigen je uit voor de begrafenis in de als rouwkamer ingerichte sportzaal.'
Iedereen schrok van het bericht van de dood van een collega, maar na een tijdje werden de meesten ook nieuwsgierig wie dat nou was die de groei van zijn collega's binnen het bedrijf belemmerde. De spanning steeg met het aantal collega's dat de rouwkamer binnentrad.
Een voor een liepen de medewerkers gespannen langs de baar, maar toen ze in de kist keken, werden ze allemaal met stomheid geslagen. Ze stonden als aan de grond genageld, geschokt, alsof iemand het binnenste van hun ziel had geraakt. In de kist lag namelijk een spiegel. Iedereen die in de kist keek, zag zichzelf. En naast de kist stond de tekst: 'Er is er maar één die jouw groei kan beperken en belemmeren: dat ben je zelf!'

Regels

Thomas Edison is weliswaar bekend geworden door de uitvinding van de gloeilamp, maar aan het einde van zijn leven had hij meer dan duizend patenten op zijn naam staan. Edison was een harde werker. Al op jonge leeftijd richtte hij met twee vrienden een laboratorium in waar driehonderd medewerkers bezig waren met uitvindingen of het verbeteren van de vondsten van anderen.
Tegen bezoekers van het laboratorium zei hij altijd: 'Hier gelden geen regels. We zijn hier bezig dingen voor elkaar te krijgen.'

Sahara

Een grootgrondbezitter wil een stuk bos gerooid hebben en neemt daarvoor een loonwerker uit het dorp aan. De man verschijnt de volgende ochtend met alleen maar een kleine bijl. ‘Die bijl is toch veel te klein?!’ roept de grootgrondbezitter uit. ‘Wacht maar af’, zegt de man uit het dorp.
De loonwerker gaat aan de slag en na een dag heeft hij met zijn kleine bijl een halve hectare bos gerooid. De grootgrondbezitter is diep onder de indruk en snapt er niets van.
‘Waar heb je die kunst geleerd om een heel bos te rooien met een kleine bijl?’ vraagt hij stomverbaasd. ‘In de Saharawoestijn’, antwoordt de man met de bijl. ‘In de Sahara? Maar daar zijn toch helemaal geen bomen?’ werpt de landeigenaar hem tegen. ‘Nee dat klopt, nu niet meer’ is het antwoord van de man met de bijl.

Beklagenswaardig

Op een dag zag een filosoof een straatveger aan het werk. Hij observeerde hem een tijdje, moest er niet aan denken om zijn werk te doen en zei: ‘Meneer, u bent beklagenswaardig. Uw dagelijks werk is hard en smerig.’ De straatveger zei: ‘Veel dank, heer, voor uw begrip. Mijn werk is inderdaad zwaar en smerig. Ik ruim vandaag op wat anderen achteloos achterlaten en ik kan morgen weer opnieuw beginnen. Maar vertelt u me eens, wat voor werk doet u eigenlijk?’
De filosoof antwoordde: ‘Ik bestudeer de mens, zijn geest, zijn daden en zijn verlangens.’
De straatveger zei glimlachend: ‘Dan beklaag ik u ook.’ En hij nam zijn bezem en ging door met zijn werk.

Niet eerlijk!

Een landheer trok er voor dag en dauw op uit om dagloners voor zijn wijngaard te zoeken op het marktplein. Nadat hij met enkele arbeiders een dagloon van € 50 overeengekomen was, stuurde hij hen naar zijn wijngaard. Drie uur later ging hij opnieuw naar het marktplein en zag anderen werkloos op het plein staan. Tegen hen zei hij: 'Gaan jullie ook maar naar mijn wijngaard, er is nog werk genoeg en ik zal jullie eerlijk betalen.' Ze gingen enthousiast aan de slag. Rond het middaguur ging hij er weer op uit, en drie uur later nog een keer, en hij handelde precies hetzelfde. Toen hij tegen het einde van de werkdag nog eens op weg ging, trof hij een groepje aan dat er nog steeds stond. Hij vroeg hun: 'Waarom staan jullie hier de hele dag zonder werk?' 'Niemand had belangstelling voor ons', antwoordden ze. Hij zei tegen hen: 'Gaan jullie ook maar naar mijn wijngaard, ik kan nog wel een paar mensen gebruiken.' Toen het donker begon te worden, zei de eigenaar van de wijngaard tegen zijn personeelsman: 'Roep de arbeiders bij je en betaal hun het loon uit. Begin vandaag met de laatsten en eindig met de eersten. 'Zij die maar een goed uur hadden gewerkt, kwamen naar voren en kregen ieder tot hun verbazing € 50. En toen zij die als eersten waren gekomen dat zagen, dachten ze dat zij wel meer zouden krijgen. Maar ook zij kregen ieder een briefje van € 50. Mopperend namen ze het in ontvangst en ze gingen direct bij de landheer hun beklag doen: 'Die lui hebben maar één uur gewerkt en ze krijgen net zoveel als wij, terwijl wij in de brandende zon de hele dag hebben lopen ploeteren, dat klopt toch niet?!' Vriendelijk antwoordde de landheer: 'Beste mensen, ik doe jullie toch niet tekort? Jullie hebben ingestemd met het loon van € 50. Neem mee wat je verdiend hebt en ga in vrede. Ik wil aan die laatsten graag hetzelfde betalen als aan jullie. Of mag ik soms met mijn geld niet doen wat ik wil? Jullie kunnen het kennelijk niet hebben dat ik ook goed ben voor de mensen die lang op het marktplein hebben gewacht.'
Kennelijk kunnen de laatsten ook de eersten zijn!

Koetsier

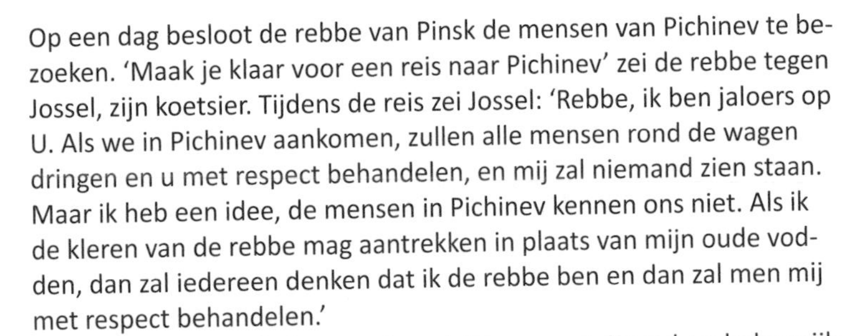

Op een dag besloot de rebbe van Pinsk de mensen van Pichinev te bezoeken. ‘Maak je klaar voor een reis naar Pichinev’ zei de rebbe tegen Jossel, zijn koetsier. Tijdens de reis zei Jossel: ‘Rebbe, ik ben jaloers op U. Als we in Pichinev aankomen, zullen alle mensen rond de wagen dringen en u met respect behandelen, en mij zal niemand zien staan. Maar ik heb een idee, de mensen in Pichinev kennen ons niet. Als ik de kleren van de rebbe mag aantrekken in plaats van mijn oude vodden, dan zal iedereen denken dat ik de rebbe ben en dan zal men mij met respect behandelen.’

De rebbe had medelijden met Jossel. ‘Als respect, Kovod, zo belangrijk voor je is, ben ik bereid om van kleren te wisselen. Maar wat als de mensen je een moeilijke vraag stellen?’ ‘Wees niet bang’, antwoordde Jossel. ‘Ik red me wel.’ En zo geschiedde. De rebbe kleedde zich in Jossels oude *shmattes* en Jossel trok de prachtige zwarte zijden mantel van de rebbe aan. Toen ze aangekomen waren in Pichinev kwamen alle mensen de rebbe begroeten. Zonder dat ze het wisten, vereerden zij Jossel de koetsier, en niemand keek naar de echte rebbe om. Iedereen dacht dat hij de koetsier was. ‘Rebbe, we zijn zo blij dat u gekomen bent’, zeiden de mensen. ‘We zaten juist met een moeilijke vraag die niemand kan beantwoorden.’ Ze namen een grote boekrol en toonden hun probleem. Jossel nam de boekrol in zijn handen, bestudeerde de tekst gedurende enkele ogenblikken, kuchte enkele keren en zei: ‘Is dat het soort vragen dat jullie mij gaan stellen? Ik dacht dat jullie met een moeilijke vraag zaten. Deze vraag is zo simpel, dat zelf mijn koetsier hem kan beantwoorden’.

Brooklyn Bridge

John Roebling was een creatieve ingenieur die totaal andere ideeën had dan zijn collega's. Hij was vol van het idee om New York met een hangbrug te verbinden met Staten Island. Iedereen verklaarde hem voor gek. Het zou onmogelijk zijn. Maar Roebling gaf zijn droom niet op. Uiteindelijk kreeg hij zijn zoon Washington mee, een aanstormend talent. Samen werkten ze het gewaagde concept uit. Ze verzamelden een bouwteam om zich heen en gingen aan de slag om hun droombrug te realiseren. Maar vader John raakte gewond aan zijn voet, verwaarloosde zijn toestand en overleed uiteindelijk aan de gevolgen. Washington dook regelmatig de Hudson in waar de pijlers werden gebouwd. Door te snel naar de oppervlakte te gaan, kreeg de caissonziekte hem te pakken. Met als gevolg dat hij verlamd raakte en de bouwplaats niet meer kon bezoeken.
Het commentaar in zijn omgeving was niet van de lucht: 'Zie je wel? Je moet wel gek zijn om zo'n droom na te jagen! Ik wist dat dit niet goed zou gaan!'
Maar Washington liet zich ondanks zijn handicap niet ontmoedigen. Zijn verlangen om de brug te realiseren was er nog volop en met zijn verstand was niets mis. Maar zijn vrienden waren kopschuw geworden.
Urenlang lag Washington te denken hoe hij zijn droom toch werkelijkheid kon doen worden. Tot hij ontdekte dat hij een vinger kon bewegen. Daar zat de oplossing. Hij ontwikkelde met zijn vrouw een code om te communiceren. Zo maakte hij zijn vrouw duidelijk dat ze de ingenieurs moest bellen om het werk te hervatten. Met diezelfde code gaf hij aan wat die ingenieurs moesten doen. Niemand hield het voor mogelijk, maar dertien jaar lang tikte Washington zijn instructies op de arm van zijn vrouw. Totdat de brug voltooid was. Hij kostte wel het dubbele van de oorspronkelijke begroting. Niets nieuws onder de zon dus.

Samenwerking

Het verblijf in de ark duurde zo lang dat de verveling toesloeg. Op een dag besloten de dieren spelen te organiseren. Maar door alle opgekropte energie werden de spelen nogal wild en op het laatst was de specht zo enthousiast dat hij per ongeluk een gat in de bodem pikte. Het water gulpte naar binnen en maakte het gat steeds groter. Paniek. Een voor een probeerden de dieren op hun manier het gat te dichten. Het werd zelfs een wedstrijd want elk dier wilde wel de redding van de ark op zijn naam hebben staan. De bever bouwde een dam over het gat, maar ook dat hielp niet. De angst sloeg toe en iedereen was bang dat de ark zou zinken.
Toen nam de bij het woord. Hij legde uit hoe bijen samenwerken in een team waarin iedereen doet waar hij het beste in is. Dat bracht de dieren tot het inzicht dat ze moesten samenwerken en elk moesten doen waar ze goed in waren. De vogels zetten hun klauwen in de boot en sloegen hun vleugels uit, zodat ze de ark een beetje optilden. De olifant zoog het water op met zijn slurf en spoot het overboord. Snelle dieren renden heen en weer om materiaal te verzamelen. Dieren die gewend waren nesten te bouwen, stopten daarmee het gat zo veel mogelijk dicht. Zo zorgden ze er samen voor dat er minder water naar binnen stroomde. Maar het lukte niet om het lek te dichten. Wanhopig vroegen de dieren of er nog andere dieren waren die konden helpen, maar hoe ze ook zochten, de mogelijkheden waren op. Toen zwom een klein visje door het gat naar binnen. Opeens realiseerden de dieren zich dat ze er niet aan hadden gedacht om hulp van buiten te vragen. Ze vroegen het visje om hulp te zoeken en kort daarna kwam de ene vis na de andere aangezwommen. Uiteindelijk kwam er zelfs een grote walvis opdagen. Die drukte zijn lijf tegen het gat zodat er geen water meer naar binnen kwam en de dieren rustig de tijd hadden om het lek goed te dichten.

Bureaucratium

Onlangs werd een nieuw element ontdekt dat zwaarder is dan alle tot nu toe bekende elementen. Het element, dat voorlopig bureaucratium genoemd wordt, bezit geen protonen of elektronen en heeft dus atoomgetal nul. Het bestaat uit 66 neutronen, 125 assistent-neutronen, 175 viceneutronen en elf viceassistent-neutronen, hetgeen de atoommassa van 312 oplevert.
Omdat het geen elektronen bezit, is bureaucratium inert; het reageert nergens mee. Toch is het chemisch aan te tonen omdat elke andere reactie in zijn omgeving stagneert. Volgens de ontdekkers is een minuscule hoeveelheid bureaucratium voldoende om een reactie die normaal gesproken in een seconde verloopt vier dagen te laten duren. De levensduur van bureaucratium is ongeveer drie jaar. In die tijd vervalt het niet, maar ondergaat het een reorganisatie waarbij assistent-neutronen, viceneutronen en assistent-viceneutronen van plaats wisselen. Het is bewezen dat de atoommassa na elke reorganisatie toeneemt. Onderzoek heeft aangetoond dat bureaucratium van nature in de atmosfeer aanwezig is. Het heeft de neiging zich op te hopen op bepaalde plaatsen, zoals bijvoorbeeld bij overheidsinstellingen, grote bedrijven en universiteiten, en het komt bij voorkeur voor in de nieuwste, best aangeschreven staande en best onderhouden gebouwen. Wetenschappers wijzen erop dat bureaucratium zelfs in zeer geringe concentraties giftig is en dat het zonder enige moeite elke productieve reactie kan verhinderen als men toelaat dat het zich ophoopt. Er worden pogingen ondernomen om te bepalen hoe de aanwezigheid van bureaucratium beheerst kan worden om onherstelbare schade te voorkomen. Resultaten tot op heden zijn niet erg hoopgevend.

Pilaren

Een organisatieadviseur kreeg van de directie de opdracht om te onderzoeken hoe het kwam dat een afdeling van het bedrijf al een halfjaar lang onder de maat presteerde. De directie vermoedde dat het probleem zat in de productiviteit per medewerker. Tijdens zijn onderzoek kwam de adviseur in een enorme opslagloods terecht. Hij stelde zichzelf voor en vertelde wat zijn opdracht was. Vervolgens stapte hij op een man af die tegen een pilaar geleund stond en vroeg: 'Wat doet u hier eigenlijk?'. De man antwoordde: 'Dit is mijn werk, mijn baas heeft me de opdracht gegeven hier te staan, dus doe ik dat.'
De adviseur dankte de man voor zijn antwoord en moedigde hem aan om zo door te gaan. Vervolgens liep hij een andere hal binnen met verpakkingsmachines. Ook daar zag hij een man tegen een pilaar aan staan. Hij vroeg ook hem, wat hij daar deed. 'Ik moet hier van mijn baas staan, dus doe ik dat', was het antwoord.
Twee weken later was het rapport af en de adviseur presenteerde het aan zijn opdrachtgever. In het rapport riep hij op tot onmiddellijke actie. De directie overlegde een poosje terwijl de adviseur op de gang wachtte. Toen riep men hem weer naar binnen, bedankte hem voor zijn heldere rapport en gaf hem de opdracht om een van die twee mannen bij de pilaar te ontslaan omdat er duidelijk sprake was van boventalligheid.

Omdenken

Een medewerker kon slecht met zijn baas overweg. Op de een of andere manier botsten zij telkens. Vaak over onbenulligheden, een enkele keer over iets belangrijks. Langzaamaan werd hem duidelijk dat hij bezig was aan het kortste eind te trekken. Maar hij wilde niet weg en vond ook niet dat zijn baas het slecht deed. Het was gewoon een ongelukkige combinatie van twee karakters. Toen vaststond dat hij niet te handhaven was, besloot de man om zelf de stap te zetten naar een bureau voor outplacement. Hij wilde liever de eer aan zichzelf houden, maar reed met pijn in zijn hart naar zijn afspraak. Onderweg ging hem een licht op.
Tijdens het gesprek met zijn adviseur tuitte hij uitvoerig de lof over zijn baas. Dat hij een moderne en voortvarende leidinggevende was met strategisch inzicht en met natuurlijk gezag.
Enkele weken daarna kondigde zijn baas aan dat hij benaderd was door een headhunter en dat hem een aantrekkelijke baan elders was aangeboden.

Zonder jou

Al sinds mensenheugenis werkte hij bij het bedrijf als kwaliteitsmedewerker. Hij kende alle processen en was de vraagbaak voor iedereen. Eigenlijk was er geen vraag te bedenken waar hij het antwoord niet op wist. Iedereen voer blind op zijn kennis en ervaring.
Maar de omzet van het bedrijf kachelde langzaam achteruit. De kwaliteit van de producten was dik in orde. Er kwamen maar zelden klachten over fabricagefouten en de fabricageprocessen waren efficiënt genoeg. Maar het zat hem in de aansluiting op de vraag. Het bedrijf reageerde niet snel genoeg op de veranderingen in de markt en concurrenten die kwalitatief niet in hun schaduw konden staan, deden dat wel. De commissarissen grepen in en een nieuwe CEO kwam om het bedrijf grondig te reorganiseren. Na een korte onderzoeksperiode riep hij de kwaliteitsmedewerker bij zich en zei: 'Ik ben onder de indruk van jouw kennis van het bedrijf, van je nauwkeurigheid en je gezag. We kunnen niet zonder jou.' Het gezicht van de man klaarde op, totdat de CEO vervolgde: 'Maar we gaan het toch proberen!'

Topprestatie?

Charles Lindbergh zette een topprestatie neer die de wereld ingrijpend heeft veranderd. Hij was de eerste die erin slaagde in zijn eentje de Atlantische Oceaan over te steken in zijn vliegtuig 'The Spirit of Saint Louis'. Groot was zijn invloed op de langeafstandsluchtvaart, tot op de dag van vandaag!
Toen op de radio werd aangekondigd dat hem was gelukt met zijn vliegtuig de Atlantische Oceaan over te steken, stormde een medewerker het kantoor binnen van het hoofd research, de latere president van General Motors, Charles Kettering en riep: 'Lindbergh is in z'n eentje in een vliegtuig de oceaan overgestoken!', waarop Kettering, de uitvinder van onder andere de elektrische startmotor, verzuchtte: 'Ach, dat is nog niks, laat hij dat maar eens met een heel team proberen'.

Lege doosjes

De directie van een grote cosmeticafabriek ontving klachten van klanten die een zeepdoosje hadden gekocht dat leeg bleek te zijn. Na onderzoek bleek dat het probleem bij de inpakmachine moest liggen. Om de een of andere reden vulde de machine per honderd doosjes er eentje niet. De fabrikant van de inpakmachine werd erbij gehaald om het probleem op te lossen, maar die kwam er niet uit. Toen zette de directie een groepje eigen ingenieurs aan het werk. Ze adviseerden de directie om een sterk röntgenapparaat te installeren dat onafgebroken de transportband zou scannen die de zeepdoosjes vervoerde van de inpakmachine naar de distributieafdeling. Een medewerker achter de monitor moest dan voortdurend in de gaten houden of er een leeg doosje langskwam. Een dure maar afdoende oplossing, zo leek het.
Totdat een van de onderhoudsmedewerkers op een veel goedkoper idee kwam. Hij kocht een sterke industriële ventilator en stelde die op naast de transportband. Hij zette de ventilator aan en na verloop van tijd blies de luchtstroom een leeg doosje simpelweg van de band af.

Hang je jas op

Op een dag ging Albert J. Coathanger gewoon naar zijn werk bij een bedrijf dat gespecialiseerd was in het maken van frames voor lampenkappen en andere voorwerpen van ijzerdraad. Toen hij zijn jas wilde ophangen aan de kapstok voor het personeel, merkte hij dat de kapstok helemaal vol was. Dat was niet de eerste keer. Hij ergerde zich en zocht naar een oplossing. Plotseling kreeg hij een ingeving. Hij pakte een stuk ijzerdraad, boog de uiteinden onder een hoek naar elkaar toe, draaide ze aan de bovenkant in elkaar en maakte er een haak van. Daar hing hij zijn jas overheen. De haak hing hij aan een spijker. Een van de directeuren liep toevallig langs de kapstok, zag de jas hangen en slaakte een kreet. Hij nam de klerenhanger van ijzerdraad mee en vroeg er patent op aan. Op het aanvraagformulier zette hij zijn eigen naam in het vakje waar de uitvinder hoorde te staan. De fabriek begon met het produceren van klerenhangers en exporteerde ze binnen korte tijd over de hele wereld. Het leverde hem een fortuin op. Coathanger zag er geen cent van.

Uniek

Het personeel van een supermarkt nam deel aan een training die gericht was op ieders persoonlijke bijdrage aan het karakter van het bedrijf. De hoofdboodschap was dat iedereen in staat was het verschil te maken. Johnny, een inpakker bij de kassa met het syndroom van Down was diep onder de indruk van de training. Maar hij vond het moeilijk om te ontdekken wat zijn bijdrage dan zou kunnen zijn. Hij praatte er veel over, ook thuis en op een avond kreeg hij een idee. Hij wilde zijn klanten een 'Spreuk van de dag' meegeven. Samen met zijn vader ging hij op zoek naar mooie spreuken. Ze printten ze op strookjes papier en de volgende dag kreeg iedereen bij de kassa van Johnny een spreuk van de dag mee. Een paar dagen daarna bleek dat de rij van klanten bij de kassa van Johnny steeds langer werd. En het openen van andere kassa's hielp niets, want de mensen wilden per se langs de kassa van Johnny om zijn spreuk van de dag niet te missen. Er waren zelfs klanten die in plaats van wekelijks nu dagelijks boodschappen kwamen doen. En stap voor stap beïnvloedde het idee van Johnny ook de rest van de supermarkt. Medewerkers werden vriendelijker en hielpen klanten bij hun keuzes, in plaats van ze met een kluitje in het riet te sturen. Bij de bloemenafdeling keken ze aan wie ze een geknakte bloem konden geven voor in het haar of op de kleding. Vroeger zouden ze die bloemen gewoon in de vuilnisbak gegooid hebben.

Hoofdpijn

Een man is wanhopig op zoek naar werk en klopt aan bij een warenhuis voor een baan. De chef laat weten dat hij geen vacatures heeft, maar de man laat zich niet wegsturen en zegt: 'Ik ben bereid er alles voor te doen, ik wil onbetaald proefdraaien, overwerken, kan me niet schelen wat.' De chef zucht en zegt: 'Nou goed dan, morgen om acht uur hier melden.'
De volgende dag gaat de man aan de slag als verkoper.
Aan het eind van de dag vraagt de chef: 'En, hoeveel deals heb je gesloten vandaag?'
'Eentje meneer', antwoordt de man. 'Wegwezen!' zegt de chef, 'aan zo'n verkoper heb ik niks, je hoeft niet meer terug te komen.'
De man pakt zijn spullen en loopt naar de deur. Maar als hij bij de deur is, vraagt de eigenaar die toch een beetje nieuwsgierig is geworden: 'Om hoeveel geld ging het eigenlijk?'
'€ 50.000 meneer', is het antwoord.
'Wat?!' roept de baas verrast uit, 'maar we hebben hier toch niks dat zoveel geld kost? Wat heb je dan verkocht?'
'Een man wilde een hengel, dus die heb ik hem verkocht', zei de verkoper.
'Maar die kost nog geen € 50', reageert de baas.
'Klopt, maar ik vertelde hem dat als hij echt wilde gaan vissen, hij een eind de rivier af moest varen, dus verkocht ik hem ook een kano' legt hij uit.
'Leuk bedacht, maar ook dat kost geen 50 ruggen' werpt de baas tegen.
'Weet ik, maar ik zei dat als hij toch de rivier afging, hij beter ook een kampeeruitrusting kon aanschaffen' is het antwoord.
'Maar dan kom je nog niet in de buurt van dat bedrag', gromt de baas, licht geïrriteerd.
'Ben ik met u eens, maar ik verkocht hem ook spullen om de vis die hij zou vangen te roken, campingstoelen en een tafel voor hemzelf en voor bezoekers, een leefdak tegen zon en regen en een koelkastje voor de wijn. Toen had hij zoveel spullen dat ik hem overhaalde om ook een camper te kopen om het allemaal mee te kunnen nemen', antwoordt de verkoper rustig.
'Wacht even', zegt de baas, 'dus jij maakt mij wijs dat een man om een hengel vraagt en jij smeert hem een kano, een complete kampeeruitrusting en een camper aan?'

'Nou, het zit nog een klein beetje anders; hij vroeg iets tegen de hoofdpijn en toen raadde ik hem aan om te gaan vissen en de rest weet u' antwoordt de verkoper met lichte triomf.
'Morgen melden om acht uur!' is de reactie van de eigenaar.

Rommelig

Op een dag kwam Peters manager binnen om hem duidelijk te maken dat het nu toch echt de hoogste tijd was dat hij zijn werkkamer en zijn bureau op zou ruimen. Afgezien van het feit dat die chaos geen gezicht was, kon het ook nooit goed zijn voor de kwaliteit van zijn werk. Met een grote grijns haalde Peter een krantenartikel tevoorschijn over een Duits onderzoek dat het tegendeel aantoonde. Volgens dat onderzoek vergroot een rommelige werkkamer de mogelijkheden om creatief te denken aanzienlijk. Of de chaos nu bestaat uit een rommelig bureau of een algehele chaos, het onderzoek wijst uit dat mensen te midden van wanorde beter in staat zijn om helder te denken. Juist de chaos dwingt hen om taken terug te brengen tot de kern, om vervolgens problemen op te lossen op een creatieve en efficiënte manier. In het artikel werd ook beweerd dat meer conservatieve medewerkers, vaak te herkennen aan hun klassieke kleding, het meeste moeite zouden hebben met wanorde omdat zij ervan overtuigd zijn dat er in chaos niet te werken valt. Daardoor wordt structuur zo'n belangrijk element in hun werkomgeving dat het haast een doel op zich wordt en zij oplossingen die minder voor de hand liggen niet zien. Met een zucht stond de klassiek geklede chef op, het artikel in zijn hand.

Whisky

Na enkele dagen kwam de manager, dit keer in een vlotte combinatie met een fleurig overhemd, opnieuw de kamer van zijn creatieve medewerker binnen. 'Ik heb een artikel voor je uit de meer behoudende hoek' zei hij en overhandigde Peters met een grijns een krantenartikel met de titel 'Creatief en oneerlijk'. Het artikel behelsde dat creatieve mensen het over het algemeen minder nauw nemen met de waarheid. Zij waren in een test meer dan anderen bereid om bewust foute antwoorden te geven, als zij daardoor meer konden verdienen. Creativiteit bleek een beter voorspeller voor oneerlijkheid dan intelligentie.
In het artikel stond ook dat creatievelingen door hun collega's gezien worden als minder geschikt voor de rol van leidinggevende. Zij zien hen meer als ongeleide projectielen die niet het vermogen hebben om te sturen op doelen en cijfers.
Het artikel vervolgde met de stelling dat creatieve types gemiddeld twee keer zoveel sekspartners hebben als mensen met minder verbeeldingskracht. En dat hun seksuele activiteit het hoogst is tijdens periodes van creatieve vruchtbaarheid in hun werk.
Het artikel sloot af met de bewering dat creatieve mensen zich vaker hun dromen herinneren dan niet creatieve mensen, doordat hun dromen grote overeenkomsten vertonen met hun werkzaamheden overdag.
'Dat klopt allemaal als een bus!' zei de medewerker, waarop hij een fles whisky tevoorschijn haalde en zijn baas een glas aanbood.

Proef

Een bedrijf zoekt een onderzoeker. De sollicitanten zijn respectievelijk een wetenschapper, een ingenieur en een consultant. Alle drie krijgen ze een steen, een stuk touw en een stopwatch. Vervolgens wordt hun gevraagd de hoogte van een gebouw te bepalen.
De wetenschapper gaat naar het dak, bindt de steen aan het touw en laat het touw zakken. Dan gebruikt hij het touw als pendule en klokt de uitslag met de stopwatch. Hij schat de hoogte op zestig meter met een marge van zestig centimeter.
De ingenieur gaat ook naar het dak en laat de steen vallen, neemt de tijd op en berekent dat het gebouw zestig meter hoog is met een marge van dertig centimeter. De consultant gaat het gebouw binnen, komt een paar minuten later weer naar buiten en zegt dat het gebouw precies zestig meter hoog is. Hij weet dat zo zeker omdat hij zijn stopwatch geruild heeft tegen de bouwtekeningen van het gebouw.

Ganzen kopen

Twee zoons werken voor hun vader op de boerderij van de familie. De jongste van de twee krijgt meer verantwoordelijkheid en meer beloning dan de oudste. Op een dag vraagt de oudste zijn vader om uitleg. Zijn vader zegt: 'Ga eerst even naar de boerderij van de Kelly's en kijk of ze nog ganzen hebben. We hebben er een aantal nodig.'
Al snel komt de jongen terug met de mededeling: 'Ze hebben nog vijf ganzen die ze ons kunnen verkopen.' Zijn vader zegt: 'Prima, vraag ze naar de prijs.' De zoon komt terug met het antwoord: 'Ze kosten € 10 per stuk.'
Zijn vader zegt: 'Prima, vraag even of zij ze morgen kunnen leveren.' Even later komt de zoon terug met de mededeling: 'Ja hoor, ze kunnen de ganzen morgen leveren.' Vervolgens vraagt vader de oudste zoon om even te wachten en goed op te letten. Hij roept de jongste zoon en zegt: 'Ga even naar de boerderij van de Davidsons en kijk of ze nog ganzen te koop hebben. We hebben er een aantal nodig.'
De jongste broer komt al snel terug met het antwoord: 'Ja, ze hebben vijf ganzen voor € 10 per stuk, of 10 voor € 8 per stuk. Ze kunnen morgen al leveren. Ik heb hun gevraagd om de eerste vijf te leveren, tenzij ze binnen een uur iets van ons horen. En ik ben overeengekomen dat we de volgende vijf ganzen kunnen kopen voor € 6 per stuk.'
De vader kijkt naar de oudste zoon, die begrijpend knikt.

Weinig woorden

'Wat is het geheim van uw succes?' vroeg de journalist aan de geslaagde bankdirecteur, van wie bekend was dat hij kort van stof was.
'Twee woorden' was zijn antwoord.
'En welke woorden zijn dat?'
'Juiste beslissingen.'
'En hoe neemt u de juiste beslissingen?'
'Eén woord.'
'En welk woord is dat?'
'Ervaring.'
'En hoe doe je die ervaring op?'
'Twee woorden.'
'Welke woorden zijn dat?'
'Foute beslissingen.'

Loyaal

Twaalf tot achttien uur op een dag werken was vrij normaal op de raketbasis. De geleerden waren dat wel een beetje zat, maar snapten het belang en waren loyaal aan hun baas.
Op een dag verzamelde een van hen moed om aan zijn baas te vragen: 'Ik heb mijn kinderen beloofd om hen vanavond mee te nemen naar een tentoonstelling; kan ik voor een keer om half zes weg?' Zijn baas antwoordde: 'Geen enkel probleem'. De geleerde was blij met de toestemming, ging weer geconcentreerd aan de slag en vergat de tijd. Pas om kwart over zes 's avonds had hij dat door. Hij baalde verschrikkelijk en haastte zich naar huis. Onderweg voelde hij zich verschrikkelijk schuldig omdat hij zijn kinderen had laten zitten. Maar toen hij thuiskwam, waren zijn kinderen er niet. Bedeesd vroeg hij aan zijn vrouw waar de kinderen waren, rekenend op een stevige reprimande. Zij antwoordde: 'Weet je dat dan niet? Om kwart over vijf kwam je baas om de kinderen op te halen en mee te nemen naar die tentoonstelling. Ik ging ervan uit dat jullie dat hadden afgesproken?!'
In een flits besefte hij hoe het gaan moest zijn. Zijn baas had hem geconcentreerd zien werken rond half vijf en gezien dat hij er niet aan dacht om zijn werk te onderbreken. In plaats van hem te waarschuwen koos hij ervoor eventjes zijn plaats in te nemen.

Filosoof

Mulla Nasrudin nam een baantje aan als koetsier en moest zijn baas naar een buurt brengen met een slechte reputatie.
'Kijk goed uit je doppen' zei zijn baas, voordat hij bij zijn afspraak naar binnen ging. 'Het wemelt hier van de dieven'.
Na een poosje riep hij door het raam: 'Alles nog in orde? Wat ben je nu aan het doen?'
'Ik zit hier en vraag me af waar de schoot van een mens blijft als hij opstaat' riep Nasrudin terug.
Even later riep zijn baas opnieuw: 'En wat doe je nu?'
'Ik vraag me af wat er met een vuist gebeurt als een mens zijn vingers strekt'.
Zijn baas was onder de indruk.
'Mijn koetsier is niet zomaar iemand' schepte hij op tegen zijn gastheer, 'hij is een echte filosoof!'
Een halfuur later stak hij zijn hoofd uit het raam en riep: 'En wat ben je nu aan het doen?'
'Ik ben me nu aan het afvragen wie onze paarden gestolen heeft' was het antwoord.

Recept

Een medewerkster zat er helemaal doorheen. Ze kon de energie niet langer opbrengen om enthousiast te zijn over haar werk. Het begon echt op te vallen. Haar baas nodigde haar uit voor een gesprek. Een serieus gesprek van vrouw tot vrouw. 'Ik weet het niet, misschien is het wel de overgang, soms lijkt het alsof ik helemaal niets meer leuk vind' zei de medewerkster. Haar baas reageerde begripsvol: 'Ik voel met je mee en heb dat gevoel af en toe ook. Maar weet je wat ik dan doe? Ik ga naar huis en verras mijn man, die meestal thuis werkt. Dan duiken we het bed in en na een stevige vrijpartij kijk ik heel anders tegen de wereld aan. Mij helpt het enorm. Dat moet jij ook eens doen.' De medewerkster keek haar ongelovig aan en zei dat ze erover zou denken. Een paar dagen later kwamen ze elkaar weer tegen. De medewerkster zag er een stuk vrolijker uit. Ze zei: 'Ik heb gedaan wat je me aanraadde en inderdaad, ik voelde me daarna als herboren. Dat recept houd ik erin!' en bij het weglopen zei ze: 'Trouwens, wat woon jij leuk!'

Doel

Het bestuur van een groot bedrijf was aan het worstelen met de missie van de firma. Ten einde raad haalden ze Nasrudin erbij.
'Wat is jullie uiteindelijke doel?' vroeg hij.
'Ons hoofddoel is om steeds hogere dividenden te creëren voor onze aandeelhouders.'
'En wat is het doel daarvan?' vroeg Nasrudin.
'Ervoor te zorgen dat zij die winst weer herinvesteren in ons bedrijf', was het antwoord.
'Met welk doel?' vroeg Nasrudin weer.
'Zodat ze nog meer winst maken', zeiden ze met groeiende irritatie.
'En wat is het doel daarvan?'
'Dat ze herinvesteren en de winsten nog verder stijgen'
Nasrudin dacht een poosje na en bedankte hen toen voor de uitleg en vertrok.
Later in de week gingen ze bij Nasrudin thuis langs om verder te praten over hun missie. Ze vonden hem in zijn tuin, terwijl hij bezig was zijn ezel vol te stoppen met haver.
'Wat ben je aan het doen?'vroegen ze, 'je geeft dat arme beest zoveel dat het straks geen poot meer kan verzetten'.
'Maar het is helemaal niet de bedoeling dat hij nog een poot verzet', was Nasrudins antwoord, 'het gaat erom dat hij zo veel mogelijk mest produceert.'
'Maar waarvoor dan?' vroegen ze verbaasd.
'Omdat ik zonder mest niet genoeg haver kan verbouwen in mijn kleine tuintje om dit vraatzuchtige beest te voeren.'

Organisatie

Het bestuur van een bedrijf nodigde Nasrudin uit om hen te helpen bij een organisatieverandering.
‘Maar wat is het dan voor een organisatie die je met mijn hulp wilt veranderen?’, vroeg Nasrudin.
De CEO haalde het glanzende jaarverslag tevoorschijn, vol grafieken en foto’s van directeuren die medewerkers de hand schudden.
‘Aha, u wilt dat ik dat jaarverslag aanpas’ vroeg Nasrudin.
‘Nee, nee’ wierp de financieel directeur tegen, ‘dit is alleen maar wat we de aandeelhouders laten zien. Kijk eens naar deze cijfers. Die geven het juiste beeld van het bedrijf.’
Nasrudin bladerde door de papieren vol rijen met cijfers en zei: ‘Begrijp ik het goed dat uw organisatie bestaat uit cijfers die allemaal keurig in het gelid op papier staan?’
‘Nee, dat klopt niet’ antwoordde de directeur implementatie, ‘kijk maar naar dit organogram, dan kunt u precies zien hoe het bedrijf in elkaar zit.’
‘Nu begrijp ik het’ zei Nasrudin en er gloorde hoop in de ogen van de bestuurders. Eindelijk zou hij iets verstandigs gaan zeggen.
‘Dus het bedrijf bestaat uit een serie dozen, elk met elkaar verbonden door stippellijnen en doorlopende lijnen?’ vroeg Nasrudin.
De directeur HR zei met een diepe zucht: ‘Oké, de organisatie valt niet samen met onze propaganda, de balans of het organogram. Ik snap wat u ons duidelijk wilt maken. Anders dan mijn collega’s begrijpen wij van HR uiteraard dat de organisatie natuurlijk gevormd wordt door de mensen. Als u dat wilt kan ik de parkeerplaats leeg laten halen en alle vierduizend medewerkers op die parkeerplaats laten verzamelen. Dan ziet u onze organisatie pas echt.’
‘Juist!’ zei Nasrudin, ‘dus uw organisatie bestaat uit een enorme menigte, op een leeg plein, waarvan iedereen zich afvraagt wat ze hier in vredesnaam doen?’

Glas

De CEO van een groot bedrijf kreeg nogal eens van zijn directeuren te horen dat zij er wel voor konden zorgen dat de omzet omhoog ging, maar dan ging de marge naar beneden. Of andersom. Maar meer verkopen met een hogere marge, dat kon nou eenmaal niet. De CEO antwoordde dan met de volgende parabel:
Toen de mensen nog in lemen hutten woonden, voerden ze doorlopend het gevecht om warmte en frisse lucht. Een gat in de muur van de hut leverde frisse lucht op, maar ook kou. Als ze het gat dichtmaakten, bleef het warm, maar zaten ze in het donker. De ontdekking van glas maakte het mogelijk om het zowel warm als licht te hebben in huis. 'Ga op zoek naar het glas', zei hij dan.

Jouw zorg

Een jongeman die net de accountantsopleiding met succes had afgesloten, solliciteerde op de functie van accountant bij een klein bedrijf. Dat trok hem meer aan dan een van de grote firma's. Het sollicitatiegesprek voerde hij met een nogal nerveuze man die de oprichter en eigenaar van het bedrijfje bleek te zijn.
'Ik zoek een bevoegde accountant', zei de man, 'maar het gaat me eigenlijk meer om iemand die mijn zorgen van me overneemt.'
'Wat bedoelt u precies?' vroeg de jonge accountant.
'Kijk, ik maak me zorgen over veel dingen en dat is niet goed voor mijn gezondheid', zei de man, 'en ik wil als eerste van mijn zorgen over de financiën af. Het wordt dus uw taak om mijn zorgen over de financiën van me over te nemen.'
'Juist', zei de sollicitant, en hoeveel betaalt u me daarvoor?'
'Nou, laten we beginnen met € 80.000'
'€ 80.000?' riep de accountant uit, 'hoe kan een klein bedrijfje als dit dat betalen?'
'Dat', zei de eigenaar met een fletse glimlach, 'is dan uw eerste zorg!'

Vrije tijd

Pa kwam zuchtend thuis van zijn werk en mopperde dat werk wel heel veel vrije tijd kost. Hij zou blij zijn als hij met pensioen kon. En dat hij nog tot zijn 67e door moest werken, beviel hem niks.
Zijn zoon die wiskunde had gestudeerd en gek was op getallen zei: ‘Nou pa, dat valt allemaal best mee. Heb je enig idee hoeveel procent van zijn leven een mens gemiddeld werkt?’ ‘Dat zal toch zeker zo’n 25 procent zijn’, antwoordde zijn vader, ‘8 uur op een dag, een beetje vakantie eraf...’
‘Mooi niet’ zei zijn zoon, ‘gemiddeld halen we nog geen 6 à 7 procent’.
‘Dat geloof ik niet!’ zei pa verontwaardigd.
‘Reken maar even mee’ zei zoonlief triomfantelijk. ‘Een jaar telt 8.760 uren. Bij een volledige betrekking werken we gemiddeld 1.800 uren per jaar voor geld. Dat is 20 procent. Maar we beginnen niet bij onze geboorte en eindigen niet op onze sterfdag. Gemiddeld werken we, vanwege deeltijdfactoren en vervroegde uittreding, zo’n 25 jaar van ons leven, ongeveer een derde. Dat brengt het deel van onze levenstijd dat we aan betaald werk besteden terug naar gemiddeld 6 à 7 procent. En als je tot je 67e werkt, kom je op ongeveer 8 procent. Daar staat tegenover dat we ruim 30 procent van ons leven slapen! Dus eigenlijk ben jij slapend rijk geworden!’

Vrije dag

Een medewerker vroeg zijn baas om een extra vrije dag omdat hij niet uitkwam met zijn vakantiedagen.
'Ben je nou helemaal gek geworden?!' viel zijn baas uit. 'Je werkt al nauwelijks!
Er zijn 365 dagen per jaar om te werken, maar 52 weken lang heb je al twee dagen vrij, dus blijven er 261 werkdagen over. 16 uur per dag ben je niet op je werk, dat zijn omgerekend 170 dagen, dus blijven er nog 91 over.
Aan koffiepauzes gaan elke dag 50 minuten op, dat is goed voor 25 dagen. Dan blijven er nog maar 66 werkdagen over.
Gemiddeld zijn mensen 5 dagen per jaar ziek, dat brengt de stand op 61.
Trek daar het gemiddeld aantal vakantiedagen en ADV vanaf, dan houd je 25 dagen over.
De gemiddelde medewerker komt wekelijks een uur te laat door files, zieke kinderen, lekke band enzovoort, dan blijven er nog 19 dagen over.
20 procent van de mensen rookt en neemt illegale rookpauzes, goed voor gemiddeld 3 dagen; dat vermindert het aantal werkdagen tot 16.
Trek daar nog bevallingsverlof, ouderschapsverlof, bijzonder verlof, stakingen, afdelingsuitjes en brandalarm vanaf en je komt op 5 werkdagen per jaar.
Daarvan verliezen we 35 procent door de after-lunchdip of het zoeken naar informatie die niet goed in onze systemen zit.
Dan blijven er nog 3 dagen over.
Zo'n 3 keer per jaar hebben we onze dag niet...
En dan vraag jij om een extra vrije dag?'

100/0

Een kleine bank in de VS deed het fantastisch. Jaar op jaar betere cijfers, tevreden klanten, veel overstappers van andere banken. Een organisatieadviseur wilde daar het zijne van weten en maakte een afspraak met de CEO en vroeg hem wat het geheim van zijn bank was. Hij antwoordde: ‘Dat is de kracht van liefde. Iedereen gaat hier liefdevol met zijn collega’s om en iedereen houdt van het bedrijf. Als een medewerker verdriet heeft, leven collega’s mee, als iemand iets te vieren heeft, vieren collega’s dat mee. Liefde drijft ons tot grote prestaties.’

De adviseur werd rondgeleid door het gebouw en het viel hem op dat er op allerlei plaatsen affiches hingen met daarop ‘100%/0%’. In de lift, op het toilet, in de gangen, op de prikborden. Hij vroeg aan zijn rondleider: ‘Wat betekenen die posters met ‘100%/0%’? ‘Oh, dat is de bedrijfsfilosofie’, antwoordde hij. ‘Iedereen voelt zich 100 procent verantwoordelijk voor zijn werk en aan excuses doen we hier niet, vandaar 100 procent verantwoordelijkheid, 0 procent excuses’.

De adviseur ging terug naar de CEO en zei: ‘U met uw mooie verhaal over “de kracht van liefde”, maar ik hoor net dat de bedrijfsfilosofie is “100 procent verantwoordelijkheid, 0 procent excuses”, dat is andere koek.’

‘Oh ja’, zei de CEO, ‘dat vergat ik je nog te vertellen, het gaat wel om stevige liefde’.

Colofon

Veel personeel gewenst
Honderd en één verhalen over werk
Willem de Vos

ISBN 978 90 8850 527 0
NUR 372/807

Illustraties
Cees Heuvel

Vormgeving
Merel van Dam, Uitgeverij SWP

Uitgever
Paul Roosenstein

Voor informatie over overige uitgaven van Uitgeverij SWP:
Postbus 257, 1000 AG Amsterdam
Telefoon: (020) 330 72 00
Fax: (020) 330 80 40
E-mail: swp@mailswp.com
Internet: www.swpbook.com